Argentina
DE PUNTA A PUNTA →

20.000 kilómetros, un viaje. Un país, un mundo

Argentina, from end to end.
20,000 kilometers, one journey. One country, one world.

Este libro relata un viaje de 20.000 kilómetros por casi todo el territorio argentino, realizado en tres etapas (Litoral; Noroeste, Córdoba y Cuyo; y Patagonia) entre junio y octubre de 2012. Todas las imágenes publicadas corresponden a este viaje.

This book tells the story of a trip of almost 20,000 kilometers all along the whole Argentine territory. It was made in three stages: (Litoral: Noroeste; Córdoba and Cuyo; and Patagonia) between June and October 2012. All images published are part of this trip.

Postal de la ruta Nacional 3, en Tierra del Fuego, Argentina.

Postcard of National Route 3, Tierra del Fuego, Argentina.

Argentina
DE PUNTA A PUNTA

staff

*Textos de **Juan Martín Roldán**.*
*Fotos de **Guillermo Gallishaw** y*
Juan Martín Roldán
*Edición fotográfica: **Guillermo Gallishaw***
*Diseño integral: **Héctor Nichea**.*
*Premedia: **Surr.com.ar***
*Traducción: **Ana Inés Roldán de***
Buitrago, Georgina Durand** y **Cecilia
***Ureta**.*

Impresión
Galt Printing
Ayolas 494 CABA

ochentamundos 80 Libros m

Editorial

Director General: Guillermo Gallishaw
Editora: Carmen Ochoa
Director de Arte: Héctor Nichea
Gerente Comercial: Alejandro Bernardinelli
Ochentamundos es propiedad de
Multimedia Eco Travel SRL.
Pedro Goyena 419,
Muñiz (1662) Buenos Aires
80m@ochentamundosonline.com.ar
www.ochentamundosonline.com.ar

Primera edición: 3000 ejemplares.
Esta edición se terminó de imprimir el 10
de diciembre de 2012, en la Ciudad
Autónoma de Buenos Aires, Argentina.

"A mis viejos, a 58 años de su viaje de luna de miel, en auto por una Patagonia que en 1954 estaba mucho más lejos que hoy".

JMR

"To my parents, 58 years after their honeymoon by car through a Patagonia that, in 1954, was much further than today".

20.000 kilómetros, un viaje. Un país, un mundo

Digo la palabra viaje y en mi cabeza aparecen decenas de imágenes. Rutas, paisajes, rostros, aromas, sonidos, silencios. Escenas de viaje, que a su vez disparan emociones, pensamientos y sensaciones. Porque viajar es, justamente, abrir la mente y el corazón a lo nuevo, a lo asombroso, a lo sorpresivo. Viajar es experimentar, sentir, meterse en las entrañas de un lugar distinto al propio y dejar que las cosas sean, fluyan.

Por eso, un viajero no es lo mismo que un turista. Es más, son conceptos diametralmente opuestos. El turista visita, el viajero conoce. Por necesidades personales y familiares, todos somos turistas más de una vez a lo largo de nuestras vidas. Pero está muy bueno que también seamos viajeros, aunque más no sea una vez. Que aprendamos a descubrir la fuerza de la Pachamama en la sonrisa de una niña kolla, que nos emocionemos con una pintura hecha 9000 años atrás en una cueva patagónica, que veamos la primitiva pureza de la vida salvaje en los ojos de un yacaré litoraleño.

Hoy el mundo está completamente descubierto y explorado. Ya no quedan en los mapas espacios en blanco, aquellos deliciosos misterios que impulsaron a los grandes expedicionarios y movieron la pluma de escritores, cronistas e investigadores, como Antonio Pigafetta, Jack London, Robert Louis Stevenson, Francisco Pascasio Moreno y tantos otros. Y sin embargo, los hombres seguimos sintiendo la necesidad de salir. De escapar de nuestra rutina y nuestro entorno cotidiano. De ir. Porque, tal como lo dijo Stevenson, "lo importante no es llegar, sino ir".

La Argentina es un país completamente viajable, podríamos decir que ideal para viajar. Porque está lleno de contrastes, matices, colores, climas, ambientes y texturas. Porque tiene la suficiente infraestructura para no correr riesgos innecesarios, pero conserva infinidad de lugares solitarios y silenciosos, en los que uno puede sentirse un descubridor. Y quizás lo sea: todo viaje es personal, y para sus adentros cada persona puede ir descubriendo lo que para él estaba oculto.

Con ese espíritu encaramos este viaje por prácticamente todo el territorio argentino. Salimos a encontrarnos con los otros mundos que habitan en nuestro amplio país, que son muchos y muy diferentes. Experimentamos esa diferencia de Sur a Norte y de Este a Oeste, la palpamos, la disfrutamos. Nos enriquecimos con ella. Y aquí la transmitimos.

Juan Martín Roldán

20,000 kilometers, one journey.
One country, one world

Whenever I say the word "travel", lots of images come to mind. I see routes and landscapes, also faces. I can feel aromas, sounds and silences. There are travel scenes that trigger emotions, thoughts and sensations. For traveling implies opening one's mind to the unexpected. It means experiencing new feelings and getting into the guts of a totally different place while we let things flow.

Because of this, a traveler is not the same as a tourist; they are totally opposite approaches. While the tourist just visits a place, the traveler gets to know it. Due to personal or family reasons, we will all be tourists at some time in our lives. But it would be great if we could be travelers at least once in our lifetime. We would then be able to discover Pachamama's (Mother Earth) strength in a Kolla girl's smile and would be moved to tears by a painting made 9000 years ago in a Patagonian cave. Or might even enjoy the essence of wildlife reflected in the eyes of a Littoral yacaré Caiman.

The World has been discovered and explored throughout; there are no blanks left in the maps. The times when the mysteries of the unknown made explorers set out on their travels are over. The same need was shared by writers, reporters and researchers such as Antonio Pigaletta, Jack London, Robert Louis Stevenson and Francisco Moreno, among many others. However, men still have a craving for traveling; we long to escape our everyday routine and our usual environment. For as Stevenson stated: "The great affair is to move, not to arrive".

Argentina is a highly attractive country in traveling terms. It abounds in contrasts, textures and colors; it boasts a wide array of shades, climates and atmospheres. While the country offers the necessary infrastructure, it also provides us with the opportunity to feel like a discoverer for there are still numberless solitary and silent places around. And a discoverer you may be indeed: traveling is a personal experience that enables you to find your true self.

With that idea in mind, we embarked on this journey around most of the Argentine territory. We were willing to encounter those different worlds within our vast country. We indulged in the varied experience, which stretched from South to North, from East to West. It was undoubtedly highly enriching and we now want to share it.

Juan Martín Roldán

Buenos Aires - Apóstoles

La que brilla, la que siempre está
A glittering presence

Un yacaré negro duerme tranquilamente sobre la superficie de la laguna Iberá.

A black cayman sleeps quietly over the surface of the Iberá lagoon.

intro
Capítulo I

Arriba: un ejemplar de la oruga que se conoce popularmente con el nombre de gata peluda o bicho quemador. Abajo: una alta palmera yatay en La Aurora del Palmar.

Above: specimen of caterpillar usually known as gata peluda or bicho quemador. Below: a tall "yatay" palm tree in La Aurora del Palmar.

El agua es una constante dentro de los diferentes paisajes mesopotámicos. Se la ve en ríos, arroyos, saltos y bañados. Y se la percibe en los mil tonos de verde que inundan el ambiente.

Los guaraníes habitaron estas tierras, y desde el comienzo identificaron de manera tan simple como vital al elemento omnipresente en el entorno que los rodeaba. Un solo sonido les sirvió para ponerle un nombre al líquido que se escurría por doquier: "i". Una "i" que quedó inmortalizada en la toponimia moderna, en sitios como Iberá (agua que brilla) e Iguazú (agua grande).

El agua es, sin dudas, la marca registrada de la Mesopotamia argentina. Irriga estas tierras, alimenta sus esteros, selvas y palmares, moldea el paisaje y es la gran protagonista de todos los atractivos de Entre Ríos, Corrientes y Misiones. La etapa inicial de nuestro viaje abarcó las dos primeras provincias y la entrada a la tercera, con una marcada presencia de la vida salvaje que identifica a la región. Sin embargo, el primer paso lo dimos en un palacio, hogar de un hombre que guio los destinos del país en tiempos de su organización constitucional: Justo José de Urquiza, que convirtió a su palacio San José en sede del poder, durante su presidencia (1854-1860) y después de ella, hasta que allí mismo fue asesinado. Los detalles de sofisticación del edificio (como el agua corriente y las canillas en varios dormitorios) sorprendieron a los ilustrados Domingo Faustino Sarmiento y Bartolomé Mitre.

Luego, sí, nos internamos en el costado natural de la Mesopotamia. Una vida silvestre que, a medida que avanzábamos hacia el Norte, iba ganando protagonismo de manera progresiva. Comenzamos a ser parte de ella en el parque nacional El Palmar, que abarca 8500 hectáreas y fue creado en 1966, con el objetivo de conservar un sector del bosque de palmeras yatay, que siglos atrás se extendía por una amplia porción de Entre Ríos, parte de Corrientes y Santa Fe, pero fue retrocediendo por las actividades agropecuarias. El Palmar es uno de los parques nacionales argentinos más visitados, ya que está cerca de las ciudades más pobladas del país y tiene una buena infraestructura para que acampen familias y grupos escolares. Sus playas de arena sobre el río Uruguay son excepcionales, alberga un sitio histórico como la Calera Barquín, la selva en galería que enmarca a sus arroyos es ideal para caminatas cortas y es frecuente ver zorros, vizcachas y aves.

El famoso parque entrerriano fue un aperitivo antes de llegar a los fantásticos esteros del Iberá, uno de los mejores sitios de la Argentina para ver fauna en estado puro. En un complejo ecosistema formado por lagunas, riachos, bañados, embalsados y monte ribereño, centenares de especies se dejan ver apaciblemente, sin siquiera inmutarse por la presencia de las lanchas, en un número que se mantiene controlado, algo fundamental para preservar el recurso natural y la actividad turística, de la que hoy vive buena parte del pequeño pueblo de Colonia Carlos Pellegrini.

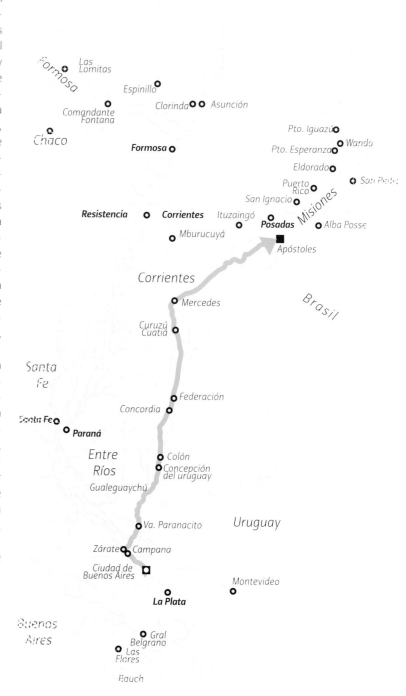

Water is ever present in the Mesopotamia. We can appreciate rivers, streams, falls and wetlands. Besides the endless variety of green shades.

These lands used to be home to the Guaraníes, who were very much aware of the vital element. The word they had for water consisted of a single sound: "i". The sound survives in present day toponymy: Iberá, shiny water; Iguazú, big water.
No doubt water is the trade mark of the Argentine Mesopotamia. It irrigates the soil, feeds its marshes, forests and palm groves, while it molds the landscape and attracts visitors to Entre Ríos, Corrientes and Misiones. The first stage of our trip covered the two former provinces and a brief visit to the third. However, our first steps took us to a palace: San José, the home of the man who led the country to organization and was instrumental in giving it its first Constitution: Justo José de Urquiza. San José was the seat of power during and after his presidency (1854-1860), until the day of his assassination. The building features details of refinement, like running water and faucets in several bedrooms; that fact amazed such sophisticated people as Sarmiento and Bartolomé Mitre.
Then we did enter the true Mesopotamia at its most natural: wildlife gained importance as we moved northward. We visited El Palmar National Park, 8500has, founded in 1966 for the purpose of

conservation of a Yatay palm grove which some centuries before used to cover a large area of Entre Ríos, part of Corrientes and Santa Fe. It was then curtailed by farming. El Palmar is one of the most visited parks in Argentina, as it lies near several densely populated cities and offers good camping infrastructure, suitable for families and school groups. Its sandy beaches on the Uruguay River are remarkable. The park is home to Calera Barquín, an interesting historical landmark. On the other hand, the gallery forest alongside its streams is perfect for short treks and it is not uncommon to sight foxes, vizcachas and several birds.
This famous park in Entre Ríos was a mere appetizer to the fabulous Iberá wetlands, one of the best sighting fields in the country. There you can see fauna at its purest. Hundreds of species roam around, indifferent to the presence of boats, amid a complex ecosystem made of lakes, streams and marshes as well as dams and riverside forest. Boat numbers are controlled, which is the key to preserving the natural resource and the tourism activity which provides a living to most of the residents of the small village of Colonia Carlos Pellegrini.

Los santos populares

Corrientes se caracteriza por la devoción de su pueblo a cultos tan diversos como arraigados. Esta provincia es la patria chica de Nuestra Señora de Itatí y del Gauchito Gil, de San La Muerte y los payés. Así, es habitual que en un mismo hogar haya una imagen de la Virgen católica y un altarcito dedicado al hoy difundido Gauchito.

Popular saints

Corrientes is famous for the devotion of its people to a wide variety of deeply rooted religious beliefs. Such province is not only the homeland of Our Lady of Itatí as well as Gauchito Gil, but also of San La Muerte (St. Death) and the so-called payés (lay-healers). Not surprisingly, the image of the Catholic Virgin will often share the home with an altar devoted to the renowned Gauchito Gil.

En un viaje de 20.000 kilómetros, nuestro vehículo fue un protagonista fundamental. Además de llevarnos por todos lados, nos sirvió como palco para filmar o sacar fotos, como mesa para almorzar y como cama para descansar un rato mientras el otro manejaba.

In a 20,000-kilometers trip, our vehicle was the main character. It not only carried us everywhere but was also used as support to record or take pictures, as dining-table and as a bed to rest while the other one was driving.

Día 1 / Km. 330

Un viaje lleno de naturaleza, comenzó con historia

Una historia que se vivió en el campo y tuvo como protagonista a un millonario hacendado entrerriano, padre de la organización constitucional y primer presidente del país. Justo José de Urquiza mandó construir el palacio San José en 1848, cuando era el mandamás de la provincia y se perfilaba para encabezar un cambio en la incipiente Confederación Argentina.

Luego de ser presidente (con Buenos Aires autoexcluida de la Confederación), don Justo José volvió a ser gobernador de Entre Ríos, aunque su poder había comenzado a resquebrajarse tras la batalla de Pavón: allí se retiró cuando todo hacía prever una victoria de sus tropas por sobre las porteñas, al mando de Bartolomé Mitre. Las sospechas de sus propios oficiales y camaradas federales fueron creciendo durante toda esa década y se confirmaron el 3 de febrero de 1870, cuando el general recibió en su palacio al presidente de la Nación, el unitario Domingo Faustino Sarmiento. Poco más de dos meses después, el 11 de abril, fue asesinado en ese mismo lugar a raíz de un complot interno.

Visitar esta magnífica residencia de estilo italianizante es convertirse en testigo de la violencia política que se vivió en la Argentina en casi todo el siglo XIX. La mayoría de los próceres y caudillos de aquellos tiempos fundacionales se divide entre los que fueron asesinados y los que murieron en el exilio...

Day 1 / Km 330

A nature-imbued trip that had a historical beginning

This story took place in the countryside and its central character was Justo José de Urquiza, a millionaire landowner from Entre Ríos who was not only the father of the constitutional organization but also the first Argentine president. He had San José palace built in 1848, when he was the province bigwig and also the potential leader in the incipient Argentine Confederation.

After his presidency (Buenos Aires had refused to join the Confederation) Urquiza resumed his former position as Governor of the province, though his power had started to wane after the battle of Pavon. He then chose to retreat to San Jose even when his troops were expected to beat those headed by Bartolome Mitre, from Buenos Aires. Suspicion among his very own officers and Federal mates kept on the rise throughout that decade until they came true when Domingo Faustino Sarmiento, the Unitarian president was invited to the palace on February 3, 1870. Shortly afterwards, on April 11, Urquiza was assassinated as a result of an internal plot.

A visit to this outstanding Italian-style residence implies becoming a witness of the political violence that prevailed in Argentina throughout the 19th century. Most of the national heroes and chieftains back then were either assassinated or died while in exile.

Urquiza tuvo 11 hijos legítimos y muchísimos extramatrimoniales, tanto que algunas estimaciones hablan de un centenar. La ley N°41, de 1855, legalizó a 12 de ellos.

Urquiza had 11 legitimate children; the number of extramarital children is said to be around 100. Twelve of them became legitimate under Law 41 passed in 1855.

En la página anterior: la cúpula de la capilla del palacio. En esta página, de arriba a abajo: el patio principal y las dos torres que flanquean la fachada; la sala de recepciones; y el pañuelo manchado con la sangre de Urquiza, quien recibió un disparo en la cara y cinco puñaladas.

Previous page: the palace chapel dome. On this page from top to bottom: the main courtyard and the two towers at the sides of the facade; the reception hall. Urquiza's blood stained handkerchief; he was shot in the face and was later stabbed 5 times.

Argentina DE PUNTA A PUNTA

Día 1 / Km 450

Amanece en la ruta, atardece en El Palmar

Ya había amanecido un par de horas atrás cuando nos pusimos en marcha desde Buenos Aires. Sin embargo, la referencia al clásico tema del rock nacional de los '80 surgió sola en nuestras cabezas cuando llegamos a la Panamericana: *"Amanece en la ruta, no me importa dónde estoy"*. Al llegar a los puentes de Zárate–Brazo Largo, hicimos el click, lo terminamos de confirmar: estábamos viajando, con todo lo que ello implica. Y nos lanzamos a la aventura de disfrutar de cada kilómetro, conscientes de que en los siguientes meses íbamos a recorrer alrededor de 20.000, por cada una de las cambiantes regiones de ese pedazo de tierra que llamamos Argentina.

Tras el paso por el palacio San José, dejamos de lado las ciudades y arribamos al parque nacional El Palmar, uno de los dos reductos de bosques de palmera yatay que quedan en pie, cuyos bosques originalmente ocupaban buena parte de esta área de Entre Ríos. El lugar es un clásico, pero siempre vale la pena volver. Contemplamos allí un atardecer magnífico, con las yatay recortadas contra un sol que caía entre algunas nubes blancas y alargadas.

Ya de noche, llegamos al otro refugio de palmeras: el Refugio de Vida Silvestre La Aurora del Palmar, frente al parque, cruzando la ruta. Ahí dormimos y, a la mañana siguiente, recorrimos parte de sus 10.600 hectáreas y remamos por el arroyo El Palmar.

Day 1 / Km 450

Dawn on the route, sunset in El Palmar

Two hours after dawn, we set off from Buenos Aires. It was only when we reached the Pan-American Highway that the '80s classic rock theme came to our minds: "Dawn on the route, wherever I might be". When we arrived at the first of the Zarate–Brazo Largo bridges, we realized the trip was now a reality. We had finally embarked on a travelling adventure and its many implications and were willing to enjoy every single kilometer of the experience. We were also aware that it would mean driving along 20,000 kilometers around clearly differentiated regions within Argentina in the coming months.

After visiting San José Palace and leaving many cities behind, we arrived at El Palmar National Park which is home to one of the two Yatay palm groves still alive. Yatay forests used to cover most of this part of Entre Ríos. The site is really worth a visit no matter how many times one has been there. The yatay skyline against the declining sun among the long white clouds enabled us to enjoy a magnificent sunset.

Night had settled in when we reached the Wildlife Reserve known as La Aurora del Palmar, the second palm tree reserve (located across from the park). We spent the night there, we went over part of its 10,600 hectares in the morning and we made a rowing trip along El Palmar stream.

De arriba a abajo: el energizante atardecer en el parque nacional El Palmar marcó el final del primer día de viaje; nuestro Jeep y un viejo camión 4x4 del Refugio de Vida Silvestre La Aurora del Palmar; y un paseo en canoa por las tranquilas aguas del arroyo local, curiosamente llamado... El Palmar.

From top to bottom: sunset in El Palmar National Park brought our first day to an end; Our Jeep and an old 4x4 truck that belongs to La Aurora del Palmar Wildlife Reserve; a canoe ride along the quiet local stream obviously called... El Palmar.

Las palmeras yatay tienen un crecimiento de aproximadamente un centímetro por año, por lo que la edad de los ejemplares más altos de la zona se estima en unos cinco siglos.

Yatay palm trees grow at an annual rate of about 1cm, so the tallest trees in the area are claimed to be some 5 centuries old.

Denis Moledo fue nuestro guía en La Aurora. Charlatán y simpático, este joven de 19 años nació en el vecino pueblo de Ubajai y desde los siete que vive junto a su familia en esta reserva privada.

Denis Moledo was our guide around La Aurora. This charming and talkative 19-year-old born in a neighboring town called Ubajai, has lived with his family on this private reserve since he was seven.

Día 3 / Km. 980

Iberá, brillo salvaje

Cientos de yacarés toman sol en los bordes de esas enormes islas flotantes que aquí se conocen como embalsados, varios ciervos de los pantanos se dejan ver mientras pastan a pocos metros, los carpinchos parecen ovejas, un águila negra otea el ambiente, una decena de garzas moras despliega su vuelo majestuosas y una prolija pareja de chajáes cuida que no nos acerquemos demasiado a sus cuatro crías. La lista es inmensa, y se va desplegando detrás de cada junco como un pergamino enrollado mientras Naldo Martin, nuestro guía, apoya su botador sobre el lecho de la laguna para hacer avanzar la lancha.

Nuestra profesión nos trajo varias veces hasta aquí, pero los enigmáticos, laberínticos y fascinantes esteros del Iberá nos dejaron con la boca abierta una vez más. Los visitamos en el sector de Colonia Carlos Pellegrini, un pueblito de poco más de 500 habitantes que está sobre la laguna Iberá. Llegamos de noche a la posada Aguapé y, a la mañana siguiente, nos subimos a la lancha. El paseo fue extático.

Por la tarde, fuimos a caminar por el sendero de los monos, frente al centro de interpretación de la reserva. Allí habita un numeroso clan de monos carayá o aulladores. La sorpresa de la excursión fue una zorrita gris, que fue criada por los guardafaunas y es sumamente mansa; sin embargo, conserva su instinto salvaje: cuando se acercó a una cría de carpincho, se le hizo agua la boca y la olfateó un largo rato...

Day 3 / Km 980

Iberá, the bright wilderness

Hundreds of sunbathing yacarés (local Caiman species) are spotted on the coasts of the huge floating islands known as embalsados. Several marsh deer graze nearby while a black eagle watches attentively, oblivious to our existence. There are capybaras that look like sheep and a dozen Cocoi herons that fly majestically around while a neat Southern-screamer couple prevents us from getting too close to their four offspring. The list is endless and could be said to be stretching out like an old papyrus roll from behind every reed, while guide Naldo Martin silently poles our boat along the lagoon.

Though we had been to Iberá on different occasions before, the intriguing labyrinth-like wetlands took our breath away once more. This time we visited Colonia Carlos Pellegrini, a small village located close to Iberá lagoon and which is inhabited by over 500 people. We reached Aguapé lodge at night and early next morning we boarded the boat for a 4-hour long ride. The 763 photos taken bear witness to this ecstatic experience.

In the afternoon we went for a walk along the monkey trail that is just across from the Reserve Interpretive Center. A harmless baby gray fox raised by the fauna rangers took us by surprise when the wild instinct came alive in her at the sight of a baby capybara and its mother. The fox sniffed at the capybara for a long time while her mouth watered...

El Iberá es reserva provincial, tiene 1.300.000 hectáreas (casi el 15 por ciento del territorio correntino) y es el área protegida más grande del país. Hay proyectos para declararlo parque nacional, pero en Corrientes son muy celosos de su patria chica...

Iberá Provincial Reserve, which takes up 1,300,000 hectares (almost 15% of Corrientes territory) is the largest protected area in the country. Though Iberá is listed for designation as a national park, the locals are very protective of their homeland...

En la página anterior: un ciervo de los pantanos adulto pasta en el borde de un embalsado, flanqueado a la izquierda por un pariente y a la derecha por un carpincho. En esta página: el macho dominante del clan de monos carayás; y los guías Naldo Martin y Roque Segovia flanquean a Mingo Cabrera, veterano guardafauna.

Previous page: an adult marsh deer grazing on an embalsado bank, flanked by another deer on the left and a capybara on the right. On this page: Alpha male howler monkey; and guides Naldo Martín and Roque Segovia with veteran fauna ranger Mingo Cabrera.

Página anterior: una garza mora emprende el vuelo; detrás de ella, una espátula rosada.
Aquí: una postal de la biodiversidad del sistema del Iberá: un yacaré negro calienta su sangre fría al sol, un ipacaá picotea en la costa y una pareja de chajáes cuida a sus cuatro crías.

Previous page: a white-necked heron flies away; in the background, a roseate.
A picture of Iberá's biodiversity: a black Caiman yacaré lying in the sun: Ypecaha digging the soil for food; and a couple of Southern screamers watching over their four offspring.

Los embalsados son islas flotantes formadas por materia orgánica en descomposición. Llegan a tener varios metros de espesor, sobre ellos crecen pequeños árboles y modifican constantemente el paisaje.

Embalsados are floating islands made up of decayed organic material which may be several meters thick. The ever-changing typical landscape results from the number of small trees growing on them.

Día 3 / Km 990

Gracias a la vida

Para terminar nuestro día en Colonia Carlos Pellegrini fuimos a visitar a Mingo Cabrera, el único guardafauna que subsiste desde la creación de la reserva provincial Iberá, en 1983. En aquel momento, en los alrededores del pueblo había cada vez menos animales. Al igual que su padre, Mingo era mariscador, o sea que cazaba para vender los cueros: *"Los bichos escaseaban y nos teníamos que meter más y más adentro del estero para encontrarlos"*, nos dijo en la puerta de su casa, de adobe blanqueado. Las incursiones en canoa eran cada vez más largas, tanto que podían llegar a durar más de un mes. Pero en aquel año todo cambió: las autoridades de la recién constituida reserva les ofrecieron a varios cazadores convertirse en guardafaunas, para cuidar a esos bichos que hasta entonces habían perseguido. Iban a recibir un sueldo por eso, por lo que yacarés, carpinchos y lobitos de río iban a seguir siendo su medio de vida.

Mingo tiene 63 años, y charló un largo rato con nosotros junto a los guías Naldo Martin (42) y Roque Segovia (25). Tres generaciones de "nacidos y criados" en Pellegrini, que aman su terruño y se preocupan por cuidar ese ambiente natural que les permite seguir viviendo aquí.

Day 3 / Km 990

Homage to life

Before calling it a day we paid a visit to Mingo Cabrera, the only fauna ranger still active since the creation of Iberá Provincial Reserve in 1983. Back then, the number of animals in the area was decreasing and Mingo, as well as his father, lived on hunting and selling their skin... "The fewer the animals, the farther into the wetlands we had to get to catch them", he told us while we talked at the door of his whitened adobe house. Sometimes canoe incursions would be over a month long. But things changed that year: the brand-new reserve authorities suggested that some of the island hunters become fauna rangers to take care of those animals they had been hunting so far. Since they would get a salary in return for their job Caiman yacarés, capybaras and river otters would still be essential to their survival. Mingo (63 years old) together with guides Naldo Martin (42) and Roque Segovia (25) talked to us for quite a long time. They belong to three different Pellegrini "nyc" generations - nyc : born and raised- that share the love for their land and care for the natural environment where they make a living.

Los esteros son tan indescifrables que, entre los siglos XVII y XIX, sucesivamente sirvieron como refugio para un grupo de aborígenes caingang, guaraníes que no aceptaban la monogamia cristiana y fugitivos de la Justicia.

Between the 17th and the 19th centuries the impenetrable pattern of the wetlands made it possible for the site to be used as refuge by a Kaingang indigenous group, as well as by fugitives from justice and some Guaraní people who rejected Christian monogamy.

De arriba a abajo: un típico rancho de adobe con techo de paja; el cementerio de Pellegrini, con sus tumbas celestes y rojas, de acuerdo con los tradicionales partidos políticos locales: Autonomista y Liberal; y el muelle de la posada Aguapé.

Top to bottom: a typical adobe and thatch-roofed hut; Pellegrini churchyard featuring its red and light-blue tombs matching the colors of the local political groups: the traditional Autonomous and Liberal parties; and Aguapé lodge quay.

Federico Spasiuk es hijo de inmigrantes ucranianos. Este tío del Chango (quizás el músico más famoso de Misiones) nos recibió en su casa de Apóstoles y, a sus 85 años, nos relató historias de los épicos tiempos de la colonización.

Federico Spasiuk is the son of Ukraine-born immigrants. (His nephew, Chango Spasiuk is probably the most renowned musician in Misiones). This 85-year-old man welcomed us to his Apostoles home and told us epic stories that took place in colonial times.

A la izquierda: la máquina para moler maíz y arroz creada hacia 1920 por el polaco Juan Szychowski, fundador de la yerbatera La Cachuera, de Apóstoles. A la derecha: un pájaro carpintero campestre sobre uno de los hormigueros de la región, llamados tacurúes.

Left: the rice-and-wheat grinding machine created circa 1920 by the polish Juan Szychowski, who founded La Cachuera yerba plant. Right: A wood-pecker on a huge anthill, one of the many tacurues of Corrientes.

Campos de tacurúes

Desde Carlos Pellegrini partimos hacia el Noreste, primero por la ruta provincial 40, luego por la 41 y finalmente por la 37, para retomar así la Nacional 14, que habíamos dejado en el paraje Cuatro Bocas, 400 kilómetros atrás. Casi un trabalenguas... y el viaje recién empezaba.
Ese tramo se pone complicado en días de lluvia, porque el suelo arcilloso está cubierto por una capa de arena fina, de color claro, y con agua se transforma literalmente en un jabón. Había llovido bastante dos días antes, pero nos animamos igual, y sobre nuestro Jeep no tuvimos inconvenientes para llegar, primero a Gobernador Virasoro y más tarde a Apóstoles.

Day 4 | Km 1150

Tacurú fields

*From Carlos Pellegrini we headed Northeast along Provincial Route 40, then took PR41 and finally drove along PR37 until we resumed National Route 14, which we had left behind almost 400 kilometers away at Cuatro Bocas- almost a tongue-twister (the name stands for Four Mouths)... And it was just the beginning.
The clay soil covered by a thin light-colored sand layer makes driving particularly hard on rainy days, when the road becomes as slippery as soap. Though it had poured two days before, we took our chances on our Jeep 4x4 and had no trouble whatsoever to get to Gobernador Virasoro and later to Apóstoles.*

El país de la selva
Forest country

El circuito inferior de pasarelas de las caratatas del Iguazú visto desde el circuito superior. Los mundialmente famosos saltos misioneros siempre sorprenden.

Lower walking trail of Iguazu falls seen from the upper walking trail. The worldwide famous falls in Misiones are always stunning.

intro

Detrás de las Cataratas, la selva exuberante y un suelo rojizo, Misiones cautiva con la simpatía de sus habitantes y con su intenso pasado ligado a las misiones jesuíticas.

Desde Apóstoles hasta Posadas, la provincia de Misiones dibuja un mapa que desborda de colores, historia y naturaleza. La ruta Provincial 2 está recientemente asfaltada y recorre la costa del río Uruguay, a tiro de piedra de Brasil. En este tramo, los rojizos caminos de tierra se recortan contra el verde de las Sierras Centrales de la provincia, en ondulaciones siempre vertiginosas. Durante el viaje, sintonizamos radios FM que transmiten música gaúcha, una dulce mixtura de acordeones y guitarras, con voces en portugués. Al entrar a poblados como El Soberbio o Colonia Andresito, es frecuente escuchar voces en portuñol por la cercanía con Brasil. Las plantaciones de citronela son parte del paisaje, al igual que los carros tirados por bueyes y las cabelleras rubias de niños y adultos, testigos vivos de las corrientes migratorias que llegaron, principalmente, desde Ucrania, Polonia o Alemania. A diferencia de lo sucedido en el resto de Misiones, en los poblados que va dejando la actual RP 2, se fueron asentando comunidades europeas que primero habían llegado al sur de Brasil. En ese país, el avance de la frontera agropecuaria fue obligando a estos primeros inmigrantes a trasladarse hacia el Oeste, hasta llegar a territorio misionero. En Cabure-í, un paraje de Colonia Andresito, Vilmar nos preparó una picada de quesos y embutidos. Rubio, alto y de rasgos angulosos, hablaba en un simpático portuñol y escuchaba música gaúcha con parlantes que, a bajo volumen, igual distorsionaban. Vilmar es uno de los miles de descendientes de inmigrantes que hoy le dan un color alegre a estos paisajes rojiverdes.

En cuanto a atractivos naturales, los Saltos del Moconá y las Cataratas del Iguazú no tienen competidores: ambos a su manera son tan impresionantes que sacuden a cualquier viajero. Sólo el parque nacional Iguazú recibe un millón doscientos mil visitantes al año, que se quedan impactados con la fuerza de los 275 saltos de agua que descarga el río Iguazú.

Pero además de las Cataratas, la selva también es atrapante. Científicamente, se le da el nombre de bosque atlántico del Alto Paraná, y se trata de una eco región en la que algunas plantas de los estratos arbustivos llegan a medir 15 metros, y se aprecian árboles de hasta 45. Además, en esta porción de selva protegida se detectaron 450 especies de aves. Al dejar Puerto Iguazú, la RN 12 conecta con las ruinas jesuítico-guaraníes, otro de los aspectos más cautivantes de Misiones. En total hubo 30 reducciones jesuitas distribuidas entre Argentina, Paraguay y Brasil. En nuestro país hubo 15 y cuatro de ellas fueron declaradas Patrimonio Cultural de la Humanidad por la UNESCO: Santa María La Mayor, San Ignacio Miní, Nuestra Señora de Loreto y Santa Ana, todas en Misiones. Este capítulo finaliza en nuestro emotivo contacto con ellas.

G.G.

Arriba: el Jeep en la agreste ruta 21, y uno de los ríos que atraviesan la densa selva misionera.

Above: the Jeep in the rough Route 21, and one of the rivers that crosses the dense Misiones rainforest.

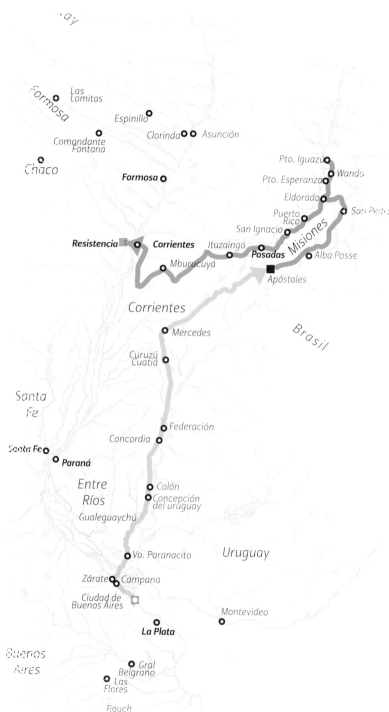

Misiones is not just the Waterfalls, the exuberant rainforest and the red soil; Misiones grabs our heart with the kindness of its people and its dramatic past, tied to the Jesuit missions.

Between Apóstoles and Posadas, the map of Misiones overflows with color, history and nature. Provincial Route 2 has just been paved and runs parallel to the Uruguay River, a stone throw from the Brazilian border. In this stretch the red dust roads contrast with the deep green of the undulating Sierras Centrales. The radios we tune in to broadcast gaúcho music, a sweet mix of accordions and guitar, with lyrics in Portuguese. Brazil is close by, and there are villages like El Soberbio or Colonia Andresito where people speak Portuñol (mix of Spanish and Portuguese). You see fields of citronella, oxen drawn carriages and blond haired families, descended from German, Polish and Ukranian immigrants. Unlike what happened in the rest of Misiones, here there were settlements from these European communities who had first settled in Brazil and were then pushed Westward by the advance of the agricultural frontier. At Caburé-í, near Colonia Andresito, Vilmar served cheese and cold cuts. He is blond, tall and angular, he speaks Portuñol and he was listening to Gaucho music with a headset that distorted the sound. Vilmar is one of thousands of immigrant descendants that spot these green-red sceneries.

You cannot beat the Iguazú Falls and the Moconá Falls for beauty. Each in its own way, they shake every voyager. Iguazú national park welcomes 1.2 million people every year. They are awed by the 275 waterfalls of the Iguazú River.
But Iguazú is not just about the falls: the forest is equally enthralling. Its scientific name is Upper Paraná Atlantic forest. It is an ecosystem where some plants in the shrubby layer are 15m high and trees reach 45m. Besides, bird species number four hundred and fifty.
We left Puerto Iguazú along N R12, on the way to the Jesuit Reductions, another fascinating aspect of Misiones. The Jesuit reductions were 30 in all, spread among Argentina, Paraguay and Brazil. Fifteen of them were located in Argentina and four of them (Santa María La Mayor, San Ignacio Miní, Nuestra Señora de Loreto and Santa Ana, all in Misiones) have been pronounced World Cultural Heritage by UNESCO. Thus we want to finish this chapter with the moving experience of visiting them.

La maravilla misionera

Las cataratas fueron declaradas recientemente una de las maravillas del mundo moderno. Están formadas por 275 saltos y su caudal varía según las lluvias que se producen en el alto Iguazú, en Brasil, donde hay varias represas hidroeléctricas.

The Wonder of Misiones

Recently, Iguazú falls have been declared one of the Wonders of the modern world. The waterfalls are made up by 275 falls whose flow varies depending on the rains on the upper Iguazú area in Brazil, where many hydroelectric dams have been built.

La selva es tan densa que parece cerrarse sobre la ruta en las cercanías de la seccional Yacuy del parque nacional Iguazú.

The forest is so thick that it seems to close over the route near the Yacuy section of the Iguazu National Park.

En las ruinas de la misión de Nuestra Señora de Loreto, una lápida recuerda al jesuita Antonio Ruiz de Montoya, muy querido por los aborígenes.

A tombstone in memory of Jesuit Antonio Ruiz de Montoya who was cherished by the Guarani.

Día 5 | Km 1395

Historia de un encuentro

Duró un siglo y medio, tuvo dos grandes grupos de protagonistas y su escenario fue una amplia zona que hoy en nuestro país se conoce con un nombre que les rinde homenaje. La historia de las misiones jesuítico-guaraníes me toca muy hondo, me conmueve, me interpela. Me subleva, me lleva a pensar en la condición humana.

Aquella memorable experiencia (mayormente de encuentro entre dos culturas, tan espiritual como práctica, no sin un dejo de dominación) comenzó en los primeros años del siglo XVII, cuando un grupo de sacerdotes jesuitas llegó hasta lo que hoy es el sur de Brasil. Allí habitaban los aborígenes guaraníes, eternos buscadores de "la tierra sin mal". Luego de largos años de trabajo, idas y vueltas, los seguidores de San Ignacio de Loyola se ganaron su confianza y los convencieron para que se congregaran en reducciones, o pueblos misionales. Pero en la misma época acechaban los bandeirantes paulistas, portugueses coloniales que buscaban esclavos.

Sobre la flamante ruta Provincial 2, que bordea el río Uruguay, pasamos por el paraje en el cual en 1641 se desarrolló la batalla de Mbororé, la primera contienda naval de esta parte del mundo. La victoria de los aborígenes (asesorados por unos pocos hombres de la Compañía de Jesús) fue total y les permitió afincarse definitivamente en la zona.

Un dato conmovedor: el padre Antonio Ruiz de Montoya fue el responsable de tramitar en Roma el permiso del Papa para que los guaraníes manejaran armas de fuego, algo que fue fundamental para el triunfo en Mbororé. En 1652, Ruiz de Montoya murió en Lima y 40 guaraníes fueron hasta allí a buscar una parte de sus restos, para atesorarlos con ellos en la misión de Nuestra Señora de Loreto. No se imaginaban que 115 años más tarde los jesuitas iban a ser expulsados de los dominios españoles y que el fabuloso experimento sociocultural que protagonizaron juntos iba a quedar truncado.

Day 5 | Km 1395

A *historical encounter*

This historical episode that involved two major groups went on for one and a half century, over a wide area currently known by a name that pays tribute to them.

The Jesuit-Guaraní Missions history has made an indelible impression on me. It moves me to such an extent that it makes me wonder about human condition itself.

That significant development (basically the encounter of two cultures that had both spiritual and practical implications as well as some dominating composition) started early in the 17th century when a group of Jesuit priests set foot in the current Southern Brazil area inhabited by the Guarani Indians who were always in search of "the land without evil". After years of hard work, Saint Ignatius of Loyola followers managed to gain the Guarani over and persuaded them to gather in "reductions" or mission communities. However, Bandeirantes

from Sao Paulo and colonial Portuguese kept harassing them for enslavement.
On our way along the brand-new Provincial R2 which winds along the Uruguay River banks, we passed by the site where the Mbororé battle was fought in 1641. This was the first navy confrontation in the area and since it ended in an appalling victory for the indigenous people (who had received support from a few Society of Jesus men) it helped them establish a strong bulwark in the area.
Father Antonio Ruiz de Montoya was

responsible for obtaining the Pope permit that allowed the Guarani to handle firearms, which turned out to be essential for the Mbororé victory. When Ruiz de Montoya died in Lima in 1652, 40 Guarani Indians travelled there to bring part of his remains in order to keep them in Our Lady of Loreto Mission. An undoubtedly moving gesture... Little did they imagine that 115 years later, the Jesuits would be expelled from Spanish dominions; thus the extraordinary socio-cultural experience undergone together would be cut short.

Los miradores sobre la ruta Provincial 2 llevan los nombres de los caciques Nicolás Ñeenguirú e Ignacio Abiarú, héroes guaraníes de la batalla de Mbororé.

The viewpoints on P R2 have been named after Guarani chieftains Nicolás Ñeenguirú and Ignacio Abiarú, Mbororé battle heroes.

Día 6 / Km 1650

A los saltos, en el agua y en la selva

"Acá, la frontera es virtual", nos dijo Ricardo Vallarino, propietario del ecolodge Aldea Yaboti, donde nos alojamos una noche. Allí nomás, del otro lado del río, está Brasil. Y la gente que vive en El Soberbio y sus alrededores tiene un fuerte vínculo con esta parte del país vecino; es más: la enorme mayoría tiene parientes enfrente y cruza cotidianamente. Además, la ruta Provincial 2 recién se asfaltó a fin de 2010, por lo que hasta entonces era mucho más fácil ir a Porto Soberbo que a cualquier poblado misionero. Dormimos y a la mañana siguiente hicimos los 40 kilómetros hasta los Saltos del Moconá, un extraño capricho del río Uruguay, que vuelca sus aguas sobre sí mismo por culpa de una falla longitudinal en su lecho de casi tres kilómetros de largo. Gracias al paseo en lancha nos metimos dentro de esa falla y navegamos río arriba pegados a las caídas de agua. Literalmente nos empapamos, pero no nos importó demasiado... Nuestro lanchero, Sadi Steinhors, desciende de alemanes que llegaron a Argentina desde Brasil, como la mayoría de los que fundaron El Soberbio en 1946.
Luego iniciamos el viaje hacia Iguazú, por la RP 21, que cruza casi en línea recta hasta el pequeño pueblo de El Paraíso, sobre la RN 12. Gozamos a fondo de cada metro sobre esa ruta, un camino de tierra colorada lleno de piedras y profundos huellones. La densa y cautivante selva nos acompañó durante casi todo el recorrido.

Day 6 / Km 1650

A bumpy ride, both on the water and through the jungle

Ricardo Vallarino, Aldea Yaboti ecolodge owner told us: ... "We only have a virtual border here"... We spent a night at the lodge which is next to Brazil, located just on the other side of the river. In fact, residents of El Soberbio have a closer contact with the neighboring country than with Posadas; what's more, since most of them have relatives on the opposite bank, they cross the river on a regular basis. Moreover, as Provincial Route 2 was paved late in 2010, going to Porto Soberbo used to be easier than to any other town in Misiones.
The following morning we drove along 40 kilometers to reach Moconá Waterfalls. Strange as it might seem, the Uruguay River pours its waters into itself due to a 3-kilometer-long fault over its own bed. The motor-boat ride enabled us to get deep into the fault while we sailed upriver as far as the waterfalls themselves. We got literally soaked to the bones, but were all too happy to care about it. Sadi Steinhors, our boatman, is a German descendant, like most El Soberbio settlers who founded the town in 1946.
We then set off for Iguazú along Provincial Route 21, which runs practically in a straight line up to a small town called El Paraíso on National Route 12. We indulged in the drive along the stony and deeply rutted red earth road that is rarely used. The lush and thick rainforest kept us company most of the drive.

En la página anterior: los hermanos Leopoldo y José Vogt, descendientes de inmigrantes alemanes, suelen salir a buscar leña con sus carros de bueyes, los BMDoble Mú, como les dicen algunos. Aquí, de arriba a abajo: las cascadas son la gran atracción del parque provincial Saltos del Moconá, que a su vez es parte de la enorme Reserva de la Biósfera Yabotí; y una típica casa de la zona en los alrededores de El Soberbio.

Previous page: Leopoldo and José Vogt are two German descendant settlers who often collect wood on their ox-carts (the so-called BMDoubleMoo's); the waterfalls are the main attraction in Saltos del Moconá Provincial Park, which is also part of the huge Yabotí Biosphere Reserve; and a typical house in El Soberbio sorroundings.

De La Boca del Riachuelo a la boca del tolongo

Tiene 33 años, se crió en La Boca y su sangre italiana explica el fuerte lazo con su familia. Sin embargo, Cecilia Belloni no dudó en seguir su instinto: cursó la carrera de guarda parque y eligió como destino el parque nacional Iguazú, pero no el sector de las cataratas, sino "el otro Iguazú": *"Desde hace seis años que estoy en la seccional Yacuy, en el extremo oriental del parque. Acá mi trabajo es cuidar la selva. Para que tengan una idea, a las cataratas van más de 3000 personas por día; acá, llegan 3000 por año..."*.

Llegamos hasta la seccional Yacuy después de transitar unos 50 kilómetros desde la entrada al parque, por la ruta nacional 101, que en ese sector es un angosto camino de tierra roja, completamente rodeado por una selva tan densa que, si nadie pasara por allí durante un año, se comería literalmente a la ruta.

Con Cecilia nos introducimos en la maraña verde y caminamos hasta el palmital, un lugar donde crece naturalmente la especie de palmera que produce el palmito. Nos contó sus encuentros con yaguaretés, tapires... y cazadores, a los que no duda en perseguir y atrapar. Hace unos años formó pareja con César Wagner, un chacarero de familia alemana, con el que tiene un hijo rubiecito, Camilo.

Mate de por medio, César nos dijo que *"él puede medir como tres metros parado en dos patas. Acá en Caburé-í dos personas tuvieron problemas con él, y a uno le capó de un zarpazo"*.

From the mouth of the river to the tiger's mouth

Cecilia Belloni is 33 years old and was raised in La Boca. Her Italian origins account for the strong family bonds. However, she decided to follow her hunches: she studied to become a professional Park Ranger. And when it was time for her to pick a destination, she opted for Iguazú National Park, not on the waterfalls area, but on the other side: "I've been at Yacuy sectional, the easternmost park area, for the last six years. My job here involves taking care of the jungle. While over 3,000 people visit the waterfalls on a daily basis, only 3,000 a year get as far as Yacuy...".

We reached Yacuy after driving along National Route 101 for some 50 kilometers from the park entrance. This stretch of the red earth road is very narrow and is completely surrounded by such thick jungle that it could even eat the route up if cars failed to drive along for a one-year period.

We walked into the green wilderness together with Cecilia and got to the palm grove, an area where the Palmetto Palm species grows naturally. She then told us about her many encounters with not only jaguars and tapirs but also with...hunters. Some years ago Cecilia met Cesar Wagner, a German descendant farmer, and they now have a blond son, Camilo.

While we shared a mate round, César told us: "He could be up to 3 meters tall standing on its hind legs. In Caburé-í two people had encounters with he, and he took a swipe at one of them".

El tigre americano recibe muchos otros nombres, según la zona. Yaguareté significa "verdadera fiera" en guaraní, pero en Misiones también se le dice tolongo, bicho o, simplemente, él.

The American tiger is referred to in many different ways, according to the area. Yaguareté means "the real true beast" in Guaraní. But in Misiones it is also called "tolongo", "bicho" or just "él" (he).

A la izquierda: la guardaparque Cecilia Belloni en plena ronda por un palmital, adonde suelen meterse furtivos a cortar palmitos, lo que mata a la planta. Arriba: Vilmar y Leni, gaúchos de nacimiento y misioneros por elección, atienden un rústico almacén-parador-pool en el paraje Caburé-í. Abajo: una de las miles de mariposas que pululan por el ambiente; este especie se conoce como 88, aunque este ejemplar parece más un 80...

Left: Park ranger Cecilia Belloni on a routine inspection around the palm grove. Poachers often intrude in their search for hearts of palms, which results in the death of the plant. Top: Gaúcho-born Vilmar and Leni made Misiones their adoptive land and run a rustic inn-grocery store and pool hub in Caburé-í. Bottom: one of the many butterflies species that flutter around; this one is known as "88", though it looks more like an 80...

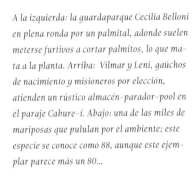

Día 8 / Km 2112

Iguazú, una explosión sensorial

Enorme, gigantesca, descomunal, incomparable. Los guaraníes llamaron a este río Iguazú, que en su idioma significa "agua grande". Y se quedaron cortos. Las cataratas son uno de esos lugares imposibles de describir, de encontrar palabras que los definan. Quizás porque definirlas serían encerrarlas, y ¿quién podría encerrar todo esto? Iguazú es un éxtasis sensorial, total. Y no importa cuántas veces se haya estado aquí: siempre fascina. Porque siempre es distinto, la dinámica del agua y de su entorno es tal que nunca se los ve igual. Dan ganas de tirarse al agua, de ser parte de esa inmensidad inabarcable y eterna.

Nos alojamos en el Loi Suites (un hotel que cuida tanto el entorno selvático como el servicio a sus huéspedes) y, después de pasar un día en la seccional Yacuy, visitamos el área Cataratas. Caminamos por los circuitos de pasarelas y finalmente hicimos el paseo que se conoce como Gran Aventura: un recorrido en camión por la selva y luego la navegación en lancha remontando el río, hasta la base misma de los saltos. El río estaba trayendo mucha agua (un caudal de 2200 metros cúbicos por segundo, cuando el promedio es de 1600), y por ello, el tradicional acercamiento a las cataratas nos dejó empapados, de pies a cabeza, chorreando como si nos hubiéramos duchado. Sin embargo, nadie se quejó: en pleno invierno, la temperatura rozaba los 28°C.

Day 8 / Km 2112

Iguazú, an explosion of the senses

The Guaraní people called this river Iguazú that means "big water", but they fell short indeed. For it is practically impossible to find the right words to describe this site. The words huge, enormous, breathtaking, unparalleled come to mind but, would they be enough or would they just pose a limit to it all? Iguazú brings all our senses alive, no matter how many times one may have been here. It is always an ever-changing and fascinating experience due to the distinct water dynamics and the surrounding environment, which never look the same. It all makes you feel like diving into the water to become one with the endless immensity of the place.

We stayed at Loi Suites (a hotel that takes care of the jungle environment as well as of their guest service) and, after spending a day in Yacuy sectional, we visited the Waterfalls area.

We walked along the path circuits and finally took the "Great Adventure" tour: a truck ride around the jungle and the ensuing boat ride upriver to the very bottom of the falls. The river had then a flow of about 2,200 m3 per second (an incredible amount since the average water flow is 1,600 m3). Not surprisingly, on our approaching the falls, we got soaked from head to toes and looked as though we had just showered. In spite of that, no one complained for, in the middle of winter, the temperature was around 28°C.

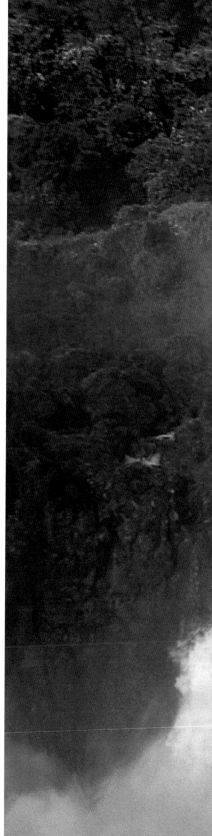

Arriba: los coatíes son un clásico de la zona, tan confianzudos que llegan a robarle la comida a los turistas. Abajo: un coro formado por integrantes de la comunidad guaraní Yriapú; su armonía nos sorprendió y nos conmovió. A la derecha: toda la fuerza del salto San Martín, uno de los más caudalosos de las cataratas.

Top: raccoon-like coatis, native to the area, can get so bold as to snatch food away from tourists. Bottom: we were deeply moved by a choir made up of Yriapú community members who surprised us with their harmony. Right: San Martín fall in full force; this is one of the mightiest falls in Iguazú.

El paseo conocido como Gran Aventura es la estrella del área Cataratas del parque nacional Iguazú. Comienza con un recorrido en camión por la selva y termina con una navegación hasta el pie del salto San Martín.

The Great Adventure tour is the star ride in the Cataratas portion of Iguazú National Park. It all starts with a truck ride around the jungle and ends with a boat ride to San Martín waterfalls.

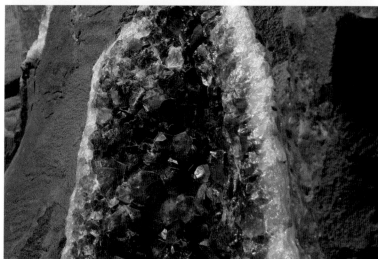

Día 9 | Km 2261

Casi preciosas

"Esta la descubrí la semana pasada, y es de muy buena calidad. Es amatista violeta, muy grande, mire usted cuánto entra el palo por este agujerito", nos contó entusiasmado Juan, mientras golpeaba con su martillo un cortafierro apoyado en las paredes de los túneles de roca que constituyen las minas de piedras semipreciosas de la ciudad de Wanda. Juan, un minero de unos 55 años, estaba trabajando sobre una burbuja de gas de casi un metro de altura por unos 40 centímetros de ancho, a la que iba a sacar entera, solamente invadida por un agujerito que le había hecho para comprobar su profundidad.

Los yacimientos fueron descubiertos por casualidad en 1976, cuando una empresa que había comprado esos campos con fines agrícolas comprobó que debajo de la tierra había un extenso y durísimo bloque de roca.

Entramos a visitar la mina y caminamos por sus túneles, que mantienen una temperatura fresca aún en pleno verano. De la mano de un guía llamado Hugo, nos sorprendimos con los colores y las texturas de varias burbujas partidas al medio, todavía incrustadas en donde se formaron por la actividad volcánica 150 millones de años atrás.

Day 9 | Km 2261

Almost precious

"I came across this premium quality gem last week. It is a huge purple amethyst; just have a look at how far this stick can get into this small hole", said Juan while he beat his hammer against an iron-cutter leaning against the rocky tunnel walls that make up Wanda's semi-precious stone mines. Juan, around 55 years of age, was toiling over a gas bubble almost 1 meter tall and about 40 centimeters wide. He was planning to remove the whole of it, though only a tiny hole had been made to assess its depth.

Wanda mines were discovered by chance back in 1976, when a company that had recently bought the land for agribusiness happened on a large block of hard rock lying beneath the earth.

We entered the mine and walked along its tunnels where the temperature is cool even in the middle of summer. A guide called Hugo showed us the different hues and textures of the bubbles that have been cut in half and are still embedded in their place of origin, where they were formed by volcanic activity 150 million years ago.

Con el paso de millones de años, dentro de las burbujas gaseosas formadas en la lava se desarrollaron estas piedras semipreciosas.

As time went by, these semi-precious stones developed within the gas bubbles formed in the lava structure.

En la página anterior: los túneles de la Compañía Minera Wanda, excavados en la roca basáltica. En esta página, de arriba a abajo: el minero Juan trabaja en la extracción de una amatista de gran tamaño; detalle de lo que originalmente fue una burbuja de gas partida al medio; y los productos decorativos que se hacen con las piedras.

Previous page: Wanda Mining Company tunnels have been excavated in the basalt rock. On this page, from top to bottom: miner Juan toiling over the extraction of a huge amethyst. A detail of a former gas bubble cut across; and stone-made decorative products.

Argentina
DE PUNTA A PUNTA →

Día 10 | Km 2569

En los restos de un amor

"Te veo, me sonrojo y tiemblo", dice Bersuit Vergarabat en su canción "Un pacto", y eso fue lo que sentimos cuando visitamos las ruinas de las misiones jesuítico-guaraníes de San Ignacio Miní, Santa Ana y Loreto. Las vimos, nos sonrojamos al pensar en su triste final y temblamos al analizar lo que consiguieron sacerdotes y aborígenes en unos 150 años.

Penetramos en este mundo gracias al espectáculo de imagen y sonido que se da todas las noches en San Ignacio. Confieso que yo había estado 15 años atrás aquí y había presenciado un show de luz y sonido que era, por así decirlo... discreto, bastante sencillito, y esperaba que siguiera siendo el mismo. Sin embargo, nos quedamos con la boca abierta cuando llegamos al sector de lo que antiguamente eran las casas de los guaraníes y comenzaron a proyectarse imágenes en movimiento sobre pantallas virtuales, que después nos enteramos que estaban hechas con una especie de vapor de agua. Asistimos a un espectáculo impresionante, hecho con la última tecnología y que además nos refrescó la historia de amor, poder, desarrollo y luchas que significaron las misiones.

A la mañana siguiente visitamos Santa Ana y Loreto, que están prácticamente como quedaron tras los devastadores ataques de las tropas paraguayas, hacia 1818, porque se hicieron trabajos de restauración mínimos, lo que las hace aún más atrapantes.

Day 10 | Km 2569

The remains of Love

"The minute I see you, I just blush and tremble"... The lyrics of the song "A deal" by Bersuit Vergarabat came immediately to mind when we visited the ruins at the Jesuit-Guaraní Missions San Ignacio Miní, Santa Ana and Loreto. We did see them, turned red when we pictured their sad ending and we trembled at the thought of what Jesuits and aboriginals attained in those 150 years.

We were introduced into this world thanks to the night sound-&-image show at San Ignacio ruins. I must admit I had been there 15 years before and had witnessed a, merely... simple, quite reasonable light-&-sound show. I was therefore expecting the show to be the same. However, we gasped in surprise when we got to the former Guaraní houses and moving images on virtual screens were forecast (we then learnt they had been made using some kind of water steam). We were able to enjoy a breathtaking show, shot using cutting-edge technology. Moreover, the show helped us brush up on the missions' historical implications with their love and power component and the fights and progress they brought about.

The next morning we visited Santa Ana and Loreto; both practically untouched since the devastating attacks of the Paraguayan troops about 1818. Very little repair work has been conducted and Loreto has been almost eaten up by the jungle, which makes it an even more intriguing site.

Las ruinas de San Ignacio Miní, Santa Ana, Nuestra Señora de Loreto y Santa María la Mayor fueron declaradas Patrimonio Cultural de la Humanidad por la UNESCO, junto a otras que están en Brasil y Paraguay.

San Ignacio Mini, Santa Ana, Nuestra Señora de Loreto and Santa María La Mayor (as well as some other ruins located in Brazil and Paraguay) have been declared UNESCO World Cultural Heritage sites.

En la página anterior: una imagen del notable espectáculo de imagen y sonido que se representa por las noches en San Ignacio Miní. En esta página, de arriba a abajo: una pared lateral de lo que fue el templo de Loreto; los muros de la fachada de Santa Ana; y el cementerio de esta misma misión, que hasta 1980 se siguió utilizando.

Previous page: the remarkable San Ignacio Miní sound-&-image night show
On this page, from top to bottom: former Loreto church side wall; Santa Ana's façade walls and churchyard. This mission remained in use until 1980.

Capítulo 3

Posadas - Resistencia

El otro litoral
*The other
littoral zone*

Cae el sol sobre el monte chaqueño, en las cercanías del pueblo de La Eduvigis.

Dusk on the Chaco forest, near La Eduvigis village.

intro

Arriba: un carancho atento a lo que sucede en su ambiente; esta ave rapaz de tamaño medio está presente en toda la Argentina. Abajo: una vieja casona en el pueblo de Santa Ana de los Guácaras, cerca de la capital correntina.

Above: a "carancho" is aware of what is happening in its environment; this medium-size bird of prey lives all over Argentina. Below: an old big house in Santa Ana de los Guácaras, near the capital of Corrientes.

Chaco y Formosa invitan a vivir la aventura de una naturaleza con identidad propia, muy poco difundida y aún menos valorada.

Cuando en la Argentina se habla de Litoral, la gran mayoría de la gente piensa en la Mesopotamia, o sea, en Entre Ríos, Corrientes y Misiones. Pero la verdad es que esa región también incluye a Chaco, Formosa y Santa Fe. En términos naturales, la última está muy modificada por las actividades agropecuarias, ya que su sector Sur está dentro de la Pampa Húmeda y el Norte en buena medida estaba cubierto por los célebres quebrachales, explotados a fondo durante las primeras décadas del siglo XX.

Pero el Chaco y Formosa aún conservan una riqueza natural notable, que no podíamos dejar afuera de ***"Argentina, de punta a punta"***. Si bien ambas provincias poseen una escasa infraestructura turística, y a pesar de que deben figurar en los últimos lugares entre las provincias más codiciadas por los viajeros, nos reservamos cuatro días para visitarlas. O justamente por ello: queríamos descubrirlas.

Tanto una como otra forman parte de la ecorregión del Gran Chaco, una gigantesca planicie que abarca parte de Paraguay, Bolivia, Brasil y nuestro país, y sirve de transición entre las selvas tropicales y la llanura pampeana. Es una rareza mundial, ya que como nexo entre ambientes tan disímiles suele haber un desierto; lejos de eso, esta área está llena de vida, tanto que el nombre de Chaco es de origen wichí y significa "lugar de cacería".

Se divide en dos sectores: el Chaco Seco (ubicado más hacia el Oeste) y el Chaco Húmedo (más hacia el Este, hasta los ríos Paraguay y Paraná), ambos dependientes del régimen pluvial. Porque la pendiente natural del terreno es mínima, los ríos son meandrosos y las lluvias son estacionales, mayormente concentradas en el verano. Entonces, una temporada con muchas precipitaciones puede ocasionar que los ríos cambien de curso y se formen pequeñas lagunas en los cauces "viejos".

El súmmum de este dinamismo es el bañado La Estrella, en el corazón de Formosa. Es un ambiente loquísimo, natural, cambiante y nuevo, ya que apenas tiene 50 años de existencia. Si bien esto lleva a pensar que podría ser obra del hombre, no es así: el gigantesco bañado, que abarca unas 400.000 hectáreas, es producto de los desbordes y el continuo cambio de cauce del río Pilcomayo, en el tramo en que comienza a servir de límite con Paraguay. Luego de las lluvias veraniegas llega a tener más de tres metros de agua, que se va escurriendo por diferentes cauces (que terminan en el río Paraguay, el mismo desagüe que tiene el Pilcomayo), hasta que en septiembre u octubre llega a quedar completamente seco. Consecuentemente, su aspecto muta desde una inmensa laguna de la que emergen miles de troncos pelados a una amplia sabana boscosa.

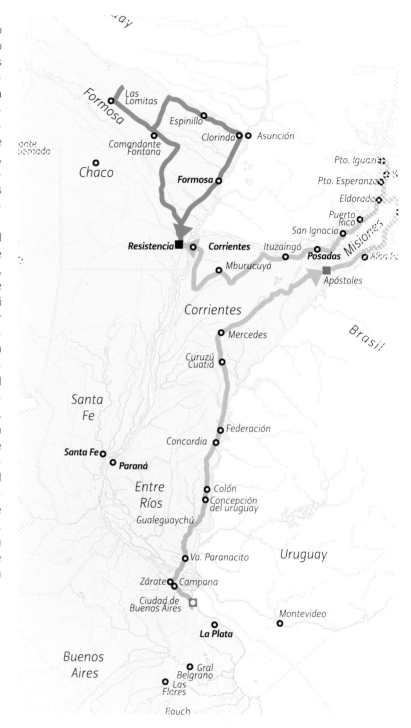

Chaco and Formosa lure adventurers to indulge in their own natural identity, which is practically unknown and lacks recognition.

When the Argentine Littoral is mentioned, most people picture the Mesopotamia provinces (i.e.: Entre Ríos, Corrientes and Misiones). However the region also comprises the provinces of Chaco, Formosa and Santa Fe. From a natural viewpoint, Santa Fe has been largely modified by agribusiness-related activities. While its Southern area is within the Humid Pampas, the North that used to be mostly covered by the famous quebracho groves was fully exploited throughout the first 20th century decades.

But since both Chaco and Formosa still boast remarkable natural wealth, they were a must in "Argentina, from end to end". And while it is true that neither province offers much tourist infrastructure, and despite the fact that they rank as the least attractive provinces in traveling terms, we decided to devote four days to visiting them. Or maybe it was just because we were intent on discovering them.
Both provinces are part of the huge Chaco Plain eco-region – known as Gran Chaco – that comprises part of Paraguay, Bolivia, Brazil and our country. It is a transition zone between the tropical rainforest and the Pampa plains. The site being the link between such different environments, it is highly unusual (even at world leve) that a plain rather than a desert should

have developed. The place abounds in wildlife so it is no wonder the name Chaco should mean "hunting land" in Wichi language.
Two sub-regions are to be found: the Dry Chaco (to the West) and the Humid Chaco (to the East), up to Rivers Paraguay and Paraná, both heavily dependent on rainfall. Rains are seasonal in the area, mainly concentrated in the summer months. Besides, the slightly sloping terrain results in meandering rivers. As a consequence, after a very rainy season, rivers often change their course and several small lagoons are formed in the "old" riverbeds.
La Estrella wetlands, in the heart of Formosa, represent the culmination of such dynamic natural environment. The ever-changing scenery looks weird indeed. Since the site is only 50 years old, one might even come to think it is man-made; but the huge wetlands, which stretch over some 400,000 hectares, are the result of the overflowing of the Pilcomayo riverbanks. This makes the river shift its course at the start of the Paraguay border section. After the summer rains, the water level is over 3 meters; but the water keeps draining into different courses which all flow into the Paraguay River - the same discharge as the Pilcomayo-. By the months of September or October, the site has completely dried up. Therefore, the view changes from a huge lagoon full of emerging bare trunks to a vast tropical savannah.

El Chaco protegido

La Administración de Parques Nacionales protege cinco áreas dentro de la ecorregión del Gran Chaco: El parque nacional Chaco, la pequeña Reserva Educativa Colonia Benítez, el parque nacional Río Pilcomayo, la Reserva Natural Formosa y el parque nacional Copo; los dos primeros están en la provincia de Chaco, el tercero y el cuarto están en Formosa, y el último en Santiago del Estero. Además, el parque nacional Mburucuyá, en Corrientes, preserva 15.000 hectáreas de transición entre el ambiente de esteros y el monte chaqueño.

Protecting the Gran Chaco

The National Park Administration is in charge of protecting 5 areas within the Gran Chaco eco-region: Chaco National Park, the small Colonia Benitez Educational Reserve, Pilcomayo River National Park, Formosa Natural Reserve and Copo National Park. While the first and second in the list are located in the province of Chaco, the following two parks are in Formosa and the last one belongs to Santiago del Estero. Moreover, Mburucuyá National Park, in Corrientes, is a 15,000-hectare transition zone between the wetlands and the Chaco forest.

Un camino barroso en un bosque de palmeras caranday, en el centro de Chaco.

A muddy road in the Caranday palm grove, in the province of Chaco.

Día 11 | Km 2931

Danza con zorros

Apenas 30 kilómetros anunciaba el desvío desde la ruta nacional 118, para llegar al parque nacional Mburucuyá, poco conocido y aún menos visitado. Hicimos 20, y fueron terribles: ese mismo día había llovido bastante y el particular suelo de esta parte de Corrientes, mezcla de arena y tierra, se puso áspero hasta el límite, lo que exigió a fondo nuestra capacidad para conducir a un Wrangler. Llegamos de noche al área Santa Teresa, el casco histórico de la vieja estancia del botánico danés Troels Myndel Pedersen, quien en 1991 donó las tierras para la creación del parque, lo que se oficializó 10 años después.

Allí nos recibió Leo Juber, un joven guardaparque. Fue nuestra primera noche en carpa del viaje. Éramos los únicos visitantes en el área de acampe, por lo que armamos todo con tranquilidad y, sin luz eléctrica, comenzamos a cocinar fideos en un calentador, bajo el techo de un quincho. Al rato sentimos ruidos a nuestro alrededor, y al iluminar con la linterna descubrimos varios ojitos brillosos que nos miraban: eran zorros grises, tan confianzudos que se acercaron a unos pocos metros. Llegamos a contar siete, y uno se acostó al lado de la entrada de la carpa, donde se quedó hasta que nos fuimos a dormir.

Por la mañana, el espectáculo lo brindaron varias corzuelas pardas y una familia de monos carayá que se movía sobre los altos árboles.

Day 11 | Km 2931

Dances with foxes

According to the detour sign at National Route 118, there were only 30 kilometers left before getting to Mburucuyá National Park, which is practically unknown and rarely visited. In fact, they were just 20 terrible kilometers, due to the particular soil conditions in this part of Corrientes. It had rained quite hard and the road (a dirt-sand combination) had become so rough that we had to make the most of our Wrangler driving abilities. It was already night when we got to Santa Teresa, the historical compound of the old estancia that used to belong to the danish botanist Troels Myndel Pedersen, who donated the land for the Park creation in 1991 -officially became a reality 10 years later.

We were welcomed by Leo Juber, a young park ranger. It was our first night in a tent and as we were the only people on the campsite, we set everything up at our own pace. As there was no electric power, we started to cook some noodles over a heater under a thatched barbecue area. Shortly afterwards we heard some noises, when we pointed our torches in that direction, we saw several small bright eyes watching us: they were gray foxes. The animals - totaling 7- were so bold that they were only a few meters away from us and kept prying around. One of them even lay down next to our tent and didn't leave until we went to bed.

The following morning, we enjoyed the show performed by a few gray brocket deer while a howler monkey troop jumped around the tall trees.

"*Este parque preserva una zona de transición entre los esteros y el Chaco húmedo*", nos dijo el guardaparque Leo Juber en una recorrida por los palmares del área protegida.

"*This park stretches over a transition zone between the wetlands and the Humid Chaco*", *park ranger Leo Juber told us while we toured around the palm groves within the protected area.*

En la página anterior: uno de los muchos zorros que merodearon por nuestro campamento. En esta página, de arriba a abajo: las corzuelas pardas son unos pequeños venados que suelen ser bastante tímidos; Leo Juber, guardaparque de Mburucuyá; y un típico campo de la zona.

Previous page: one of the many foxes prowling around our camping site. On this page, from top to bottom: red brocket deer are small and often quite shy; Mburucuyá park ranger Leo Juber; and a view of the typical countryside.

Días 13 y 14 | Km. 3100

El Chaco, todo por descubrir

En el inconsciente colectivo, Chaco suena a monte seco y espinoso, a quebrachales talados y a calor aplastante. Fuimos a verificarlo.

Desde la ciudad de Corrientes, cruzamos el puente Manuel Belgrano, dejamos a un costado Resistencia y encaramos hacia El Cachapé, un campo situado sobre la RP 90 cuyo dueño, Eduardo Boló Bolaño, está fuertemente comprometido con la ganadería sustentable y el cuidado de la naturaleza. Tanto es así que desde hace 15 años lleva adelante un programa de cría y explotación de yacarés, que consiste en sacar huevos de los nidos, llevarlos a un criadero, empollarlos artificialmente hasta el nacimiento de los pichones y un tiempo más tarde reinsertar (exactamente en el mismo lugar en el que se obtuvieron los huevos) un porcentaje de yacarés juveniles similar o incluso superior al que hubiera sobrevivido en circunstancias naturales.

Con Eduardo y su capataz, Cacho, recorrimos la zona y pudimos tener un completo panorama del funcionamiento del complejo ecosistema chaqueño. Entonces comprobamos que esta enorme planicie es terriblemente dinámica y que está lejos de ser seca y monótona.

Al volver al casco, un albañil llamado Cirilo Ramírez nos contó la historia de Isidro Velázquez, un moderno Robin Hood chaqueño que fue muerto por la policía en 1967. En el paraje Pampa Bandera comenzó un culto que hoy tiene cientos de "promeseros".

Days 13 & 14 | Km. 3100

Chaco, ready to be discovered

According to popular belief, Chaco is commonly associated with dry thorn forests full of felled quebracho groves and the most suffocating heat...There we went to see for ourselves.

We set off from Corrientes city, crossed Manuel Belgrano Bridge; and after leaving Resistencia aside, we headed for El Cachapé. This cattle ranch, located on Provincial Route 90, belongs to Eduardo Boló Bolaño, who is totally committed to sustainable livestock exploitation as well as to caring for the environment. It's been 15 years since he implemented a yacaré ranching program that involves removing the eggs from the nests to bring them to a breeding center where they are incubated until they hatch. Shortly after the hatchlings are born, a certain percentage of juvenile yacarés –similar to the amount that would have survived in the wild– is brought back to the very same egg-harvesting place.

We toured the area together with Eduardo and Cacho, the farm manager, and we were then able to have a comprehensive view of Chaco's complex eco-system. We realized that this vast plain is dynamic and is wrongly assumed to be dry and monotonous.

On our return to the farm compound, Cirilo Ramírez told us Isidro Velazquez's story. Velazquez was a modern Chaco-born Robin Hood that was killed by the police in 1967. This triggered a cult in the locality of Pampa Bandera that attracts hundreds of devotees these days.

Página anterior: cruce del puente Corrientes-Chaco, sobre el ancho río Paraná.

Página opuesta: Cacho, el alegre y amable capataz de la estancia turística El Cachapé, en Chaco. En esta página, de arriba a abajo: una hembra de mono carayá desperezándose; el cruce a caballo de un bañado chaqueño; y dos pájaros carpinteros de lomo blanco picoteando las ramas de un timbó.

Previous page: the Corrientes-Chaco Bridge, over the wide Paraná River.

Opposite page: Cacho, the kind and charming farm manager at El Cachapé tourist estancia (in Chaco). In this page, from top to bottom: a female howler monkey stretching out; a horse riding in a marshland; and two cream-backed woodpeckers peck on Earpod tree branches.

El aspecto de la planicie chaqueña puede modificarse todos los años, por los periódicos cambios del caudal de sus ríos. Pastizales, palmares, montes duros (en los que predominan el quebracho, el algarrobo y el urunday) y selvas en galería se suceden sin pausa.

The Chaco Plain may look different every year because of the regular changes in river flow. One might encounter grasslands and palm groves as well as hard woods (species include quebracho, black carob tree and urunday) and gallery forests.

Arriba: una vista panorámica del champal, el entorno típico del bañado La Estrella; los troncos secos quedan completamente cubiertos por enredaderas y son usados por miles de aves para nidificar.

Top: panoramic view of the typical surroundings - locally known as champal- at La Estrella wetlands; thousands of birds nest in the dry tree trunks that are completely covered with creeping ivy species.

Días 15 / Km. 3560

Agua que viene, agua que va

Formosa debe ser la última provincia que la mayoría de los argentinos ansía conocer. Entonces, ni el estado provincial ni los empresarios locales invierten en infraestructura para los visitantes. Qué equivocados están todos.

Cruzamos el río Bermejo en Puente Libertad, para dirigirnos a Las Lomitas, la localidad más cercana al bañado La Estrella, un particularísimo ecosistema del que habíamos escuchado mucho y desde hace años teníamos ganas de conocer.

Ya había atardecido cuando llegamos al pueblo. Era sábado a la noche, estábamos cansados y lo único que queríamos era encontrar a alguien que nos guiara por el bañado, distante a unos 50 kilómetros. Encontramos la Municipalidad abierta, terminamos en el despacho del intendente (quien estaba allí a pesar del día y la hora) y enseguida llamó al director de Turismo local, Ricardo Romero, con el que arreglamos la visita a La Estrella para la mañana siguiente.

Nos alojamos en un hotel sin demasiadas estrellas (para ser sinceros, la zona carece de infraestructura para el turismo) y a las 8:30 pasamos a buscar a Ricardo por su casa. Cargamos un canobote con motor arriba del techo del Wrangler y partimos hacia el bañado por la ruta Provincial 28, que fue asfaltada el año pasado y dotada de un puente de 900 metros de largo, con pasarelas peatonales a ambos lados, que sirven como balcón para la observación de fauna.

Al llegar lo comprobamos: La Estrella es, efectivamente, el protagonista estelar de Formosa. Se lo ve como una enorme laguna, de la que emergen miles de troncos pelados, y sobre ella nos deslizamos tranquilamente con el canobote de Ricardo, un maestro que ronda los 50 años y aprendió a querer y conocer estos parajes mientras trabajaba en la escuela de una comunidad de aborígenes pilagás.

Tanto desde la pequeña lancha como desde el puente pudimos ver una infinita cantidad de aves, principalmente garzas blancas y moras, cigüeñas, jabirús, tuyuyúes (estas dos últimas son parientes de la cigüeña común), águilas negras y moras, martín pescadores, cardenales rojos... Además, aparecieron algunos yacarés, que calentaban su sangre fría al sol.

Day 15 | Km 3560

Water moving to and fro

Most Argentine people must regard Formosa as the least attractive province to visit; therefore, neither the province state authorities nor local businessmen invest in tourist infrastructure. In truth, they are all making a serious mistake.

We crossed the Bermejo River by means of Libertad Bridge on our way to Las Lomitas, a town close to La Estrella wetlands; by all accounts, an amazing ecosystem we had been willing to visit for ages.

We reached the town after sunset. It was Saturday and we were so tired that the only thing we wanted was to get hold of someone who could lead us around the wetlands, located only 50 kilometers away. The local Town Hall was open and we ended up in the Mayor's office. To our surprise - the mayor- was still there and he immediately phoned Ricardo Romero, the local Tourist Director. So we arranged a tour around La Estrella the following morning.

We stayed at a poorly rated hotel (to be honest, there is no tourist infrastructure in the area) and we picked Ricardo up at 8.30 am. We later placed a motor-canoe on top of the Wrangler and set off for the wetlands along Provincial R28. This route was paved last year and features a 900-meter long bridge that has pedestrian paths on both sides. The bridge provides a great fauna observation viewpoint.

No sooner had we reached La Estrella than we confirmed it is undoubtedly the star attraction in Formosa. It looks like a huge lagoon with numberless emerging tree trunks. We glided around the lagoon on board Ricardo's motor canoe. Ricardo, a 50-year-old teacher, developed his love for this land while he worked at a Pilagá aboriginal community school.

Both from the boat and from the bridge, we were able to sight a great number of bird species: cocoi herons and great egrets, jabirú and wood storks as well as black-chested and purple eagles. There were also kingfishers and red cardinals... Besides some yacaré caimans turned up to lie in the sun.

El bañado La Estrella tiene un potencial de desarrollo ecoturístico único, pero la reserva provincial que lo contiene no está dotada de la infraestructura mínima para garantizar su conservación.

La Estrella wetlands have unique eco-tourist growth potential but unfortunately, the provincial reserve that houses them lacks the basic infrastructure to ensure preservation.

Arriba: un enorme jabirú en pleno vuelo; esta particular especie de cigüeña llega a medir casi un metro y medio. Abajo: Miguel Velázquez, ex agente sanitario y referente de la comunidad qom La Primavera. A la derecha: un muelle techado en la laguna Blanca, dentro del parque nacional Río Pilcomayo.

Top: a huge Jabirú in mid-flight; this particular stork species can be almost 1.5 meters. Bottom: former sanitary officer Miguel Velazquez is a representative of La Primavera Gom community. Right: a roof boat dock in Blanca Lagoon, within Río Pilcomayo National Park.

Día 16 / km 3980

Los qom tienen una comunidad junto al parque nacional Río Pilcomayo. Antiguamente se los llamaba tobas y tienen un origen común con los pilagás.

The Qom community dwells close to Río Pilcomayo National Park. In remote times they used to be called Tobas; they share the same origin as the Pilagás.

Arriba: íbamos caminando tranquilos por una pasarela del PN Río Pilcomayo cuando de repente apareció entre los pastos un confiado yacaré overo de más de dos metros de largo. Abajo: las espinas de un grueso palo borracho, típico habitante del monte chaqueño.

Top: while we walked at our leisure along one of the paths at Río Pilcomayo National Park, a confident over 2-meter-sized black Yacaré took us by surprise. Bottom: the stout spines of a thick Floss Silk tree, a typical species in the Chaco forest.

Argentina
DE PUNTA A PUNTA

Del llano a la quebrada, pasando por la selva

From plains to gorges, passing through the jungle

El Hornocal, 30 kilómetros al noreste de Humahuaca y a casi 4500 metros sobre el nivel del mar. Es difícil encontrar palabras para describir semejante locura de la Madre Tierra.

Hornocal is located 30 kilometers Northeast of Humahuaca, at almost 4,500 meters above sea level. No words will suffice to describe such a weird Mother Earth's creation.

Argentina
DE PUNTA A PUNTA

intro

Capítulo 4

Arriba: el detalle de un techo hecho con torta de barro sobre caña. Abajo: la notable iglesia de San Francisco, en la ciudad de Salta.

Top: detail of a mud-cake and cane roof. Bottom: the remarkable Saint Francis Church in Salta city.

El paso del Litoral al Noroeste es casi esquizoide. Un caso de triple personalidad: la chatura total de la planicie chaqueña comienza a ondularse y se transforma, primero, en las yungas o selvas de montaña, que más hacia el Oeste desaparecen para dar lugar a la célebre quebrada de Humahuaca, donde la Pachamama se muestra desnuda y preñada de colores, formas y texturas.

El Chaco nos envolvió con sus ríos serpenteantes, nos pinchó el espíritu con su monte espinoso y nos embrujó con sus historias de promeseros y bandidos rurales, como el popular Mate Cosido, que anduvo por Pampa del Infierno, Machagai y Quitilipi, asolando a hacendados y gozando de la protección de una buena porción de los campesinos, en parte por simpatía y en parte porque pagaba por ella. El Chaco nos envolvió, pero finalmente nos soltó. Nos dejó ir hacia el Noroeste, para tener primero un corto paso por el territorio de Santiago del Estero, reingresar al Chaco y luego penetrar en la provincia de Salta. El Parque Nacional El Rey fue nuestro primer destino en la región. Es uno de los cuatro que existen en el país destinados a proteger las yungas, ese riquísimo ecosistema que se escurre en nuestro país desde Bolivia y ocupa parte de Salta, Jujuy, Tucumán y hasta un pequeño sector de Catamarca. Las yungas, selvas de montaña o nuboselvas son el segundo ambiente más biodiverso del país, apenas un escalón por debajo de la selva paranaense o misio-

nera. Su particularidad es que se extienden sobre las primeras estribaciones andinas, prácticamente desde el nivel del mar hasta los 2300 metros de altura, aunque los sectores más bajos fueron diezmados para plantar caña de azúcar, tabaco y cítricos. El área que va de los 500 a los 1800 metros es la más rica, ya que allí se desarrolla como un denso tapiz la selva montana. Esta maraña verde es el hogar de un largo listado faunístico. Para los visitantes, las yungas guardan una sorpresa que puede llegar a ser bastante molesta: garrapatas, que suelen treparse por los zapatos y colarse debajo del pantalón... Los otros Parques que protegen a este fascinante ambiente son Campo de los Alisos (Tucumán), Baritú (también en Salta, de muy difícil acceso, pegado a la frontera con Bolivia) y Calilegua (en Jujuy).

Siguiendo hacia el Oeste, en términos geográficos hace su aparición la prepuna, formada por valles y quebradas en los que reina el cardón, ese cactus gigante que alterna entre formas de candelabro y manos haciendo gestos extraños... La prepuna es el sector más importante de la región en términos históricos. A ella pertenece la quebrada de Humahuaca, que fue habitada desde tiempos prehispánicos, por ella penetraron tanto los hombres del imperio inca como los conquistadores ibéricos y fue el escenario de trascendentes batallas en tiempos de la independencia argentina.

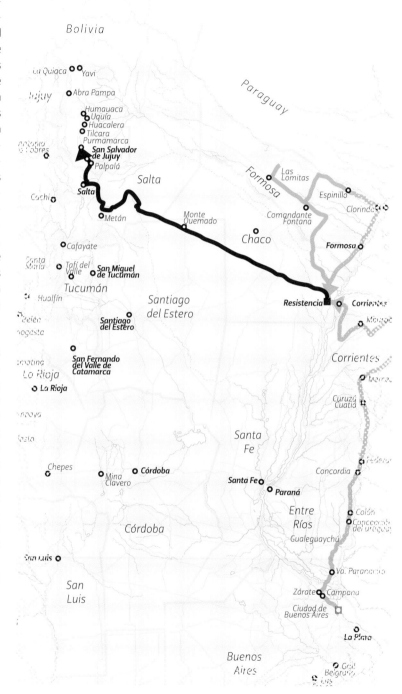

The transition from the Littoral to the Northwestern region could be depicted as almost schizoid-like: a triple personality disorder case. The Chaco plains become hilly turning into the Yungas mountain forests. The forest then disappears to the West giving place to the outstanding Humahuaca gorge. Pachamama (Mother Earth) is here at its best: completely naked and pregnant with a multitude of shapes, colors and textures.

Chaco engulfed us with its winding rivers; its thorn forests left an indelible mark on our spirits while its popular stories (not only devotee stories but also rural bandit myths) cast a magic spell on us. Such is the case of Mate Cosido, a social bandit that roamed the areas of Machagai, Quitilipi and Pampa del Infierno. While he harassed cattle ranchers, he enjoyed most peasants' support; either out of admiration or because he paid for it. Chaco held us tightly but finally let go of us. We then headed for the Northwest: we paid a short visit to Santiago del Estero, went into Chaco territory once more and finally arrived in Salta province. El Rey National Park was our first destination in the region; this is one of the three parks set up to protect the rich Yungas ecosystem – stretching from Bolivia and taking up part of Salta, Jujuy, Tucumán and even a small portion of Catamarca- The Yungas (mountain forests or cloud forests) are considered to house the second most biologically diverse ecosystem in the country, only one step below the Parana rainforest. They stretch over the first Andean foothills, practically at sea level, and reach up to 2,300 meters in height; though the lowest areas have been devastated to plant sugar cane, tobacco and citrus species. The subtropical montane forest has developed over an area between the 500 and 1,800 meters; it spreads out like a thick green carpet that concentrates the richest biodiversity and is home to many distinctive fauna species. But visitors must be aware of the presence of quite bothersome Yunga inhabitants: ticks; they will often creep up one's shoes and pants... The other parks created to protect this amazing environment are Campo de los Alisos (Tucumán), Baritú (located in Salta close to the Bolivian border; practically inaccessible though) and Calilegua in Jujuy.

Valleys and gorges make up the Pre-Puna region, to the West in geographical terms. The giant Cardón cactus dominates the landscape; this huge cactus species can either be chandelier-like in shape or it may resemble hands making weird gestures... This is the most important area in terms of historical significance for it is home to the Humahuaca gorge. Humahuaca's importance dates back to pre-Hispanic times when both the Inca Empire people and Spanish conquerors entered the country and settled in the area. Therefore, it bears witness to crucial battles in the fight for Argentine independence.

Pucarás y capillitas

A lo largo de los 175 kilómetros de la quebrada de Humahuaca se suceden pueblos y caseríos fundados en tiempos coloniales, muchos de ellos sobre restos de asentamientos de grupos aborígenes englobados bajo el nombre de Omaguacas, dominados por los incas hacia 1470. Entre los muchos testimonios de ocupación prehispánica, el más destacado es el pucará de Tilcara. De la época colonial, en tanto, sobresalen las capillas de Purmamarca, Huacalera y Uquía.

Pucarás and chapels

Several hamlets and villages founded in colonial times are spotted all along the 175 kilometers that make up the Huamahuaca gorge. Many of them were set up over the ruins of aboriginal settlements belonging to the groups known as Omaguacas –who had come under Inca domination by 1470. Among the sites that bear witness to pre-Hispanic times, the Pucará in Tilcara is worth a visit. On the other hand, the chapels located in Purmamarca, Huacalera and Uquía are traces of the colonial era.

En el ingreso a Santiago del Estero nos sorprendió una fuerte tormenta de granizo.

Santiago del Estero welcomed us with an aggressive hail storm.

En tiempos de la lucha por la independencia de la Argentina, las selvas de montaña sirvieron como escondite para los hombres de Martín Miguel de Güemes, que utilizaron la táctica de la guerra de guerrillas.

Mountain forests were the hiding place for Martín Miguel de Guemes's people in times of the independence struggle in Argentina. The guerrilla warfare strategy was used by them.

A la izquierda: un molino al atardecer en el límite entre Chaco y Santiago del Estero. Arriba: uno de los ríos que surca el parque nacional El Rey. A la derecha: un gaucho con guardamontes de cuero rústico, poco antes del ingreso al área protegida.

Left: windmill at sunset in the Chaco-Santiago del Estero border. Top: one of the rivers running through El Rey National Park. Right: a local gaucho wearing rustic leather guards just before access to the protected area.

Día 17 / Km 5098

El Rey de la selva

Corría el año 1948 cuando el gobierno nacional expropió las 44.162 hectáreas de la hacienda El Rey, que inmediatamente se convirtió en el primer parque nacional destinado a proteger la biodiversidad de las yungas. Accedimos a él luego de transitar 48 kilómetros de ripio; tiene la forma de un anfiteatro, al que se ingresa por "el escenario". En el mes de agosto, el paisaje lucía bastante seco, por lo que decidimos ir a la pequeña laguna De los Patos, donde los sonidos de muchísimas especies de aves acuáticas eran literalmente ensordecedores...

Day 17 / *Km 5098*

The jungle King

Back in 1948 the national government expropriated the 44,162 hectares of land that belonged to El Rey estate; thus the place became the first national park set up to protect the Yungas biodiversity. After a 48-kilometer gravel drive from N R20, we reached the amphitheater-like site (the "stage" being the access way). Since it was August, the landscape looked quite dry and so we headed for the small Los Patos lagoon, where numberless water bird species made really deafening sounds.

Día 18 / Km 5482

Los siete mil colores de Humahuaca

Para nombrar las cosas los hombres solemos recurrir a precisiones que no siempre se condicen con la realidad. El cerro que está situado detrás de la deliciosa Purmamarca ilustra perfectamente esta idea. ¿A quién se le ocurrió que la muestra cromática de esa loma rocosa se reduce a siete colores? A mí se me hace que allí están todos los que puede haber en la naturaleza, al igual que en Los Colorados, la Paleta del Pintor, el Hornocal y otros sectores del largo recorrido humahuaqueño.

Nos introducimos en la famosa quebrada después de pasar una mañana nublada en la siempre elegante ciudad de Salta. Al entrar a Purmamarca paramos para hacer unas compras en su mercado callejero, situado en torno a la pequeña plaza central. Allí, entre vendedores con rasgos típicamente kollas, apareció un hombre negro. Pero bien negro. Tenía su puesto frente a la plaza, a metros de la capilla del pueblo, y vendía lo mismo que todos: mantas, ponchos, aguayos, bolsos, adornos... *"Mi nombre es Said Magulu, soy de Tanzania, en el este de África"*, dijo con una sonrisa. Said dejó su país cinco años atrás, a través de un primo llegó a San Salvador de Jujuy, visitó el pueblito de los colores... y le gustó. Tiempo después conoció a una chica local, se enamoraron, tuvieron un hijo y el muchacho de Tanzania se convirtió en un purmamarqueño más.

Day 18 / Km 5482

Humahuaca and its seven thousand colors

Human beings tend to resort to certain statements that sometimes fail to match reality; the hill spotted behind the charming Purmamarca town is the clear example of such an assumption. Whoever reduced the chromatic spectacle featured in the rocky hill to only seven colors? I myself have the impression all the colors of nature are present there. The vast Humahuaca region displays similar chromatic wealth in Los Colorados, Paleta del Pintor and Hornocal.

After a cloudy morning at the ever-classy city of Salta, we drove into the famous gorge. On our arrival in Purmamarca, we stopped for shopping at the street market that surrounds the small central square. A black man called our attention among the Kolla-featured sales people. This surprisingly black man had set up shop across from the square, just a few meters away from the church. He sold the same stuff as his colleagues: bags, blankets and ornaments as well as ponchos and hand-woven textiles... "My name is Said Magulu and I come from Tanzania, in eastern Africa", he said smiling. Five years ago Said left his country and arrived in San Salvador de Jujuy through a cousin. He then visited the multi-color village... and liked it. Shortly afterwards, he met a girl, they fell in love and had a son; thus the Tanzania-born youth became another Purmamarca local.

La quebrada de Humahuaca fue declarada Patrimonio de la Humanidad bajo la denominación de Paisaje Cultural, porque ensambla con armonía el ambiente natural con las huellas que el hombre ha dejado en él.

Humahuaca was declared World Heritage site under Cultural Landscape denomination due to the harmonic combination of its natural environment and the historic human traces found in the area.

Página anterior: Maimará y la formación conocida como Paleta del Pintor al anochecer. En esta página, arriba: Said Magulu, un joven de Tanzania que se casó con una chica local y hoy vende tejidos artesanales en Purmamarca; abajo, las arcadas del histórico cabildo del pueblo.

Previous page: Maimará and the so-called Paleta del Pintor (painter's palette) rock formation at dusk. On this page, top: Tanzania-born Said Magulu married a local girl and now sells handcrafted textiles in Purmamarca; bottom: the arches of the historic Town Council building.

Argentina DE PUNTA A PUNTA →

El cerro Las Señoritas, detrás del pueblito de Uquía y a unos mil metros de la ruta, es una formación rocosa de un color rojo furioso. Llegamos unos minutos después del amanecer y nos dimos el gusto de trepar por él poco más de una hora. A la derecha: un tramo de la vía del tren que corría por la quebrada; el ramal fue cerrado a fin de los años '70.

Las Señoritas Mount, located behind the tiny town of Uquía, some 1,000 m away from the road, is a deep red rock formation. Since we arrived shortly after dawn, we indulged in an hour-long climb. Right: old railway tracks along the gorge; the line was closed in the latest 70's.

Día 19 / Km 5656

Una princesa inca en la quebrada

Sonrió por primera vez apenas unos segundos después de que llegamos a su casa de adobe. Mostró entonces sus dientes inmaculados, hizo una mueca que mezcló gracia, inocencia y picardía, y enseguida nos dijo su nombre: *"Yo soy Carolina"*. *"Hola Caro, ¿cuántos años tenés?"*, le preguntamos. *"¿Cuántos me das?"*, fue su respuesta, y desde entonces no paró de hablar.

La visita a la familia de Clarita y Héctor Lamas, integrantes de la comunidad aborigen de Hornaditas, representó uno de los encuentros que más nos marcaron en todo el viaje. Viven 19 kilómetros al norte de la ciudad de Humahuaca y una década atrás comenzaron a recibir visitantes.

Cuando arribamos los dueños de casa no estaban, pero nos recibieron sus hijas menores, Gabriela (15) y Caro (7), dueñas de una chispa, una frescura y una inteligencia prodigiosas. Comimos una tarta de quinoa y, mientras estábamos almorzando, llegaron una mujer italiana y su hijo adolescente, y los cinco nos subimos a nuestro Jeep para visitar los petroglifos de El Pintado, con una guía excepcional: ¡Carolina! No solamente nos indicó perfectamente el camino, sino que también nos dio explicaciones sobre esta muestra de arte prehispánico (*"Sé todo esto porque acompañé muchas veces a mi papá"*) y retó al que se quiso acercar demasiado a los grabados (*"No se puede pisar la piedra"*).

Days 19 / Km 5656

An Inca princess in the gorge

No sooner had we arrived at her adobe house than she smiled for the first time and showed us her pristine teeth. She then combined grace, innocence and naughtiness in a single gesture and told us her name: "I'm Carolina". "Hi, how old are you?" we asked. "How old do you think I am?" she replied. And from then onwards, her talking never stopped.

Our visit to Clarita and Hector Lamas's family was one of the most impressive encounters throughout our trip. These members of the Hornaditas aboriginal community who live 19 kilometers north of Humahuaca, started to take visitors in a decade ago.

Since their parents were away, their youngest daughters Gabriela (15) and Caro (7) welcomed us. Both girls are incredibly witty and boast spontaneity and a prodigious intelligence. While we were having lunch - quinoa pie- an Italian woman and her adolescent son arrived. The five of us got into the Jeep to visit El Pintado petroglyph site. We had a great guide: Carolina! Not only did she give us precise directions but also gave us explanations about this pre-Hispanic art sample. ("I know all this because I've come with my Dad several times"). She also scolded the person willing to get too close to the engravings. ("No stepping on the stones").

En la página anterior: en un caserío perdido en las montañas, a 19 kilómetros de Humahuaca y a 3400 metros de altura, Caro nos encandiló con su ternura. Arriba: un improvisado vóley con un adolescente italiano; y un detalle de los petroglifos de El Pintado, que fueron realizados entre los años 900 y 1600.

Previous page: Caro enfolded us with her tenderness in a lost mountain hamlet located 19 kilometers away from Humahuaca, at 3,400 meters in height. Top: volleyball with an Italian teen; detail of El Pintado petroglyphs carved between the years 900 and 1,600.

Caro nos llevó a los petroglifos, a la capilla y al pequeño centro de la comunidad, donde habían hecho su ofrenda a la Pachamama.

Caro took us to the petroglyph site and the town chapel as well as to the small community center, where they made their offered to Pachamama, the Mother Earth.

Llegamos al Monumento
Natural Laguna de los Pozuelos
con las últimas luces del día;
divisamos a lo lejos los grupos
de flamencos y otras aves
acuáticas, y luego hicimos
silencio para contemplar una
inolvidable caída del sol detrás
de la cordillera.

A la derecha, el antiguo campanario de la ciudad
de Humahuaca, testigo de la lucha independen-
tista encabezada por Manuel Belgrano.

Daylight was fading when we
reached Los Pozuelos Lagoon
Natural Monument; we
spotted some flamingo groups
and other water bird species
in the distance and then, in the
utmost silence, we enjoyed an
unforgettable sunset behind
the mountain ranges.

Right: the old Humahuaca belfry witnessed the
independence struggle headed by Manuel
Belgrano.

Día 20 / Km 5993

Un remolque en el pueblo de adobe

No es mucho lo que cambió en Yavi desde la época colonial. El adobe sigue reinando en este pueblito, por lo que recorrer sus callecitas empedradas fue penetrar en un espacio sin tiempo.

Horas más tarde, Marcelina nos sacó del letargo. Estaba parada al costado de la ruta de ripio, camino a Yavi Chico, con el capó levantado y queriendo meter mano en el motor de su viejo R12. *"No sé qué le pasa, creo que no llega nafta al carburador"*, nos dijo apenas frenamos nuestra marcha y comprobamos que estaba acompañada por una joven con un bebé: su hija y su nieto. *"Las podemos llevar hasta Yavi". "Bueno, vivimos ahí, le vamos a pedir a uno de los dos mecánicos que nos ayude". "Suban".* Hicimos lugar en el Jeep y desandamos cuatro kilómetros hasta el pueblo, donde dimos una vueltita más y, cuando estábamos a punto de salir para La Quiaca, las volvimos a ver: "Los mecánicos está ocupados, nadie nos puede ayudar hoy". Guille no lo dudó: *"Consigan algo para que las remolque y lo vamos a buscar".* Marcelina salió corriendo, minutos después volvió con una rudimentaria cuarta y a la media hora los tres estaban con su 12 en la puerta de su casa. De pronto, desaparecieron... Pasaron unos momentos y Guille, sorprendido, arrancó el auto para irse. Pero Marcelina no lo dejó: llegó cargada de habas, mazorcas, papines y ajo, y una sencilla palabra salió de su tímida boca: *"Gracias".*

Day 20 / Km 5993

Towing around the adobe town

Nothing much changed in Yavi since colonial times. Adobe houses still abound in the small town and so, wandering around its cobbled streets was like getting into a timeless zone.

A few hours later, Marcelina brought our daydreaming to an end. We caught sight of her old R12 next to the gravel road leading to Yavi Chico. The hood had been lifted and she was having a try at the engine. "I don't know what's wrong, no fuel gets to the carburetor I guess" she said as soon as we pulled up. We then realized there were a young woman and a baby in the car: her daughter and her grandchild. "We can drive you as far as Yavi". "Great, we live there. One of the two mechanics will help us". "Come on in".

We made room for them in the Jeep and drove 4 kilometers back to town. After a short ride, when we were about to set off for La Quiaca, we met them again. "No one will be able to help us today". Guille reacted at once: "If you get hold of any towing device, we'll go fetch your car". Marcelina wasted no time; a few minutes later she was back holding a rudimentary tow rope. In half an hour the R12 was already at their house. But all of a sudden, they had vanished into thin air...After a while, Guille decided to start the engine; Marcelina wouldn't let him... There she was: carrying beans and garlic, in addition to corn cobs and Andean potatoes. Only a simple word came out of her shy mouth: "Thanks".

En la página anterior: Marcelina y su familia posan con su R12 con el carburador descompuesto y nuestro Jeep; los vegetales eran de su propia huerta. Arriba: nuestra llegada a La Quiaca. Abajo: el altar de la capilla de Yavi, laminado en oro.

Previous page: Marcelina and her family pose together with the tow rope, their broken R12 and our Jeep; the garlic and beans produce as well as the corn cobs and the Andean potatoes had come from her own vegetable garden. Top: Quiaca arrival. Bottom: the gold-laminated altar at Yavi chapel.

Yavi está situado a 15 kilómetros de La Quiaca. Hacia 1700 se convirtió en sede del marquesado de Tojo, pero su influencia decayó luego de la independencia argentina.

Yavi is located 15 kilometers away from La Quiaca. Around 1700, it became the Tojo Marquissate seat. Its importance decayed after Argentine independence.

Purmamarca-Quilmes

La árida belleza de la puna

The arid beauty of the puna

Un grupo de llamas al costado de la ruta, cerca de San Antonio de los Cobres. Los montículos blancos de la derecha son de puro hielo: era 23 de agosto y durante la madrugada la temperatura había llegado a los -8°C.

Llama herd at the roadside near San Antonio de los Cobres. The white lumps on the right are made of ice: it was August 23 and the morning low had been -8°C.

intro

Capítulo 5

Arriba: un atardecer furioso sobre el sector de Los Colorados, entre Salar de Pocitos y Tolar Grande. Abajo: la interminable subida de la Cuesta de Lipán, que llega hasta los 4200 metros de altura.

Top: a gorgeous sunset at Los Colorados, between Salar de Pocitos and Tolar Grande. Bottom: the endless slope of Lipán, which climbs up to 4200m.

Con la puna perdimos por knock out: cada uno de sus escenarios fue como un cross de derecha que nos dejó aturdidos. Inmensa, colorida y sorprendente.

Entre las Salinas Grandes y Tolar Grande, el altiplano abre un universo que, por momentos, parece infinito a la vista. Se trata de un ambiente único en el mundo, una gran meseta formada por encima de los 3400 metros sobre el nivel del mar, que conocemos con el nombre de puna y que la Argentina comparte con Bolivia, Perú y Chile. Allí, las lagunas con flamencos, los salares, los inmensos campos de pastizales ocres, las domésticas llamas y las silvestres vicuñas conforman el paisaje que se suele ver desde la ruta. Al bajarse del auto, toda esa belleza cobra otra dimensión ya que, por ejemplo, uno siente ese viento frío que a veces sopla en forma de brisa y, en otras ocasiones, parece un huracán. La flora, que desde el auto se ve suave, suele ser de hojas duras y pequeñas que, en muchos casos, sufrieron una dramática adaptación y se convirtieron en espinas; como es una región muy seca, las plantas evolucionaron para lograr la menor pérdida de agua posible. Al atardecer, el paisaje entra por la vista hasta el borde de la emoción, porque todo eso que a plena luz del día parece un desierto monocromático, se convierte en un escenario pleno de matices rojizos, cubierto por cielos con pequeñas y estiradas nubes color salmón.

Las Salinas Grandes, entre Jujuy y Salta, constituyeron una de nuestras paradas. Ocupan alrededor de 212 kilómetros cuadrados, están a 3450 msnm y se extienden entre los Andes y las Sierras del Chañi. En toda su superficie se ve una capa del más intenso color blanco. Días más tarde cruzamos por el salar de Pocitos, en el oeste salteño, que se veía amarronado en su superficie. *"Salinas Grandes tiene una cuenca cerrada, pero con mucha precipitación: en época de lluvias se cubre con unos 20 o 30 centímetros de agua"*, nos explicó Víctor Cuezzo, un guía de montaña de Tilcara. *"Otros salares, como el de Pocitos, no llegan a cubrirse de agua y por eso cuando se los ve tienen un aspecto sucio".*

El recorrido nos llevó a San Antonio de los Cobres, y de allí a Tolar Grande, en plena puna salteña. Un tramo de 30 kilómetros nos dejó con la sensación de que no puede haber nada igual en el mundo entero: Los Colorados, las Siete Curvas, el Desierto del Diablo, los Ojos de Mar, la calidez de los pobladores de Tolar Grande, las vías del hoy extinto tren a Socompa que atraviesan zonas insólitas... Todo nos deslumbró. Las rutas están en buen estado general (hay algunas zonas arenosas y otras con fuerte serrucho) y sólo hay que tener cuidado con el apunamiento, tanto personal como de los autos, que pierden potencia en los sectores más elevados.

Después de haber visto este paisaje, los Valles Calchaquíes nos parecieron el jardín del edén.

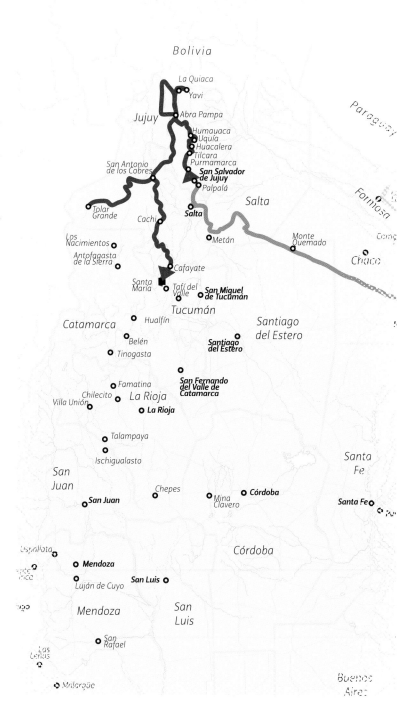

The puna knocked us out: every scene was dazzling and hit us like a straight punch. Immense, colorful, surprising.

Between the Great Salt Lakes and Tolar Grande the flatland opens a view that at times looks boundless. It is a unique ambiance, a huge flatland 3400m above sea level that Argentina shares with Perú, Bolivia and Chile. From the car we sight lakes with flocks of flamingo, salt marshes, huge ochre grasslands, domestic llama and wild vicuna. The moment you get out of the car, you feel the everlasting wind, sometimes a breeze sometimes a hurricane. In close up, plants that look soft from the car are harsh and brittle, and leaves have adapted to the environment and become thorns for this is an extremely dry area and water retention is of the essence. At sunset the monochrome becomes multicolored, the land is spotted with red and the sky streaked with pink clouds.

One of our stops was Salinas Grandes, the Great Salt Lakes. They cover about 212 sq km, at 3450m above sea level, and range from the Andes to the Chañi hills. They are totally covered in thick white, while the Pocitos salt marsh, which we crossed a few days later, looks brownish and muddy. "Salinas Grandes is an enclosed basin but with abundant rainfall: in the rainy season it is covered by 20 or 30cm of water", Víctor Cuezzo, a Tilcara mountain guide, explained. "Other salt lakes like Pocitos are never that deep in water, that's why they look dirty".

The route took us to San Antonio de los Cobres and from there to Tolar Grande, smack into the Salta Puna. After 30km we felt there was nothing like that in the whole wide world: Los Colorados, the Siete Curvas, the Devil's Desert, Ojos de Mar. The warmth of the people in Tolar Grande, the railway of the now discontinued train to Socompa...everything was dazzling. The roads are mostly in good condition, except for some sand covered areas and a few seriously bumpy stretches. You only need to beware of altitude sickness. Both people and engines are affected by this, as cars can lose power at the highest spots.

After seeing this, the Calchaquí valleys looked like Paradise.

La puna

La puna es una gran meseta de altura formada entre la Cordillera de los Andes y diferentes cordones serranos. Al ser una región muy seca, las plantas evolucionan para lograr la menor pérdida de agua posible, por ejemplo, con espinas y hojas de escaso tamaño.

The puna

The puna is a high flatland between the Andes and various hilly ranges. The climate is very dry, so plants adapt to water limitations by reducing the size of leaves or by turning them into thorns.

Después de subir hasta los 4971 msnm en el abra del Acay, el camino angosto y escarpado desciende en un sinfín de curvas.

After climbing to 4971m at Abra de Acay, the narrow steep path drops in an endless spiral.

Día 21 / Km 6412

Un mar blanco, quieto, húmedo y sensual

El blanco inmaculado siempre llama la atención. Más cuando se lo encuentra en un ámbito natural, y más aún cuando uno viene de romperse la cabeza con la multicromática paleta humahuaqueña. Abandonamos la Quebrada en Purmamarca, donde comenzamos a subir por la serpenteante cuesta de Lipán. Llegamos hasta los 4200 msnm y desembocamos en ese océano tieso que son las Salinas Grandes. El blanco absoluto nos encegueció, nos sumergió en una calma chicha de la que nos sacaron cuatro turistas europeas (dos italianas y dos francesas) que sin pudores se pusieron a dibujar con sus cuerpos formas extrañas sobre la sal.

Ese sector, a la vera de la ruta Nacional 52, es el más visitado, y allí pudimos sentir cómo cruje la sal al pisarla; la superficie se percibía sólida. Pero luego avanzamos en dirección Sur por la ex RN 40 (hace unos años, la traza de la famosa ruta en esta parte del país se movió más hacia el Oeste) y entramos en una zona no visitada del salar; allí encontramos partes que parecían firmes, pero al pisar, nos hundíamos unos centímetros.

De nuevo sobre el ripio rutero, nos cruzamos con llamas y burritos, casas de adobe abandonadas y un par de minas en las que se extrae litio de las Salinas, siempre rodeados por el típico ambiente puneño, de matas y arbustos bajos.

Day 21 / Km 6412

A static, still, sensuous white sea

Solid white is always striking. Especially when found in nature, and especially after the orgy of color featured at the Quebrada. We left the Quebrada in Purmamarca, where we took the winding slope of Lipán. We got to 4200m and came out onto this stiff ocean, the Salinas Grandes. The total white dazzled us, blinded us, and we only reacted to the sight of four tourists, two Italian and two French ladies, who drew silhouettes on the salt by means of their own bodies.

This area, by the roadside on National Route 52, is the most frequented. We could feel the salt crack under our feet, though the surface looked solid. Then we moved on Southward along the former Route 40 (the current route takes a detour here) and we entered a less visited sector. There the ground looked solid too, but our feet sank a couple of centimeters when we stepped on it.

Again on the gravel road we crossed llamas and donkeys and drove past derelict adobe houses and a couple of lithium mine pits, all against the typical puna shrubby background.

De las Salinas Grandes se extrae cloruro de sodio en la forma tradicional. Los clásicos piletones se forman cuando se sacan bloques de sal; con el tiempo la superficie se empareja sola.

Sodium chloride is drawn from the Salinas Grandes the traditional way. When a block of salt is removed a puddle is left that gets eventually evened out on its own.

En la página anterior: Juan con una suerte de cristal de sal. En esta página, de arriba a abajo: uno de los artesanos que hacen esculturas con sal; un antiguo cementerio en la cima de una colina, y el Jeep sobre otro sector del inmenso salar.

Previous page: Juan with a sort of salt crystal. This page, top to bottom: a salt craftsman; an old cemetery on the top of a hill and the Jeep on another spot of the huge salt lake.

Argentina
DE PUNTA A PUNTA →

Día 21 / Km 6483

Un Mojón en la puna

Marchábamos sobre la ex RN 40 hacia San Antonio de los Cobres cuando vimos un cartel que anunciaba: "Restaurante y próximo hospedaje El Mojón". Nos desviamos algunos centenares de metros y entramos en una pequeña aldea, formada por las construcciones de abobe más prolijas y cuidadas que habíamos visto. Salió a nuestro encuentro un hombre, un hijo de la Tierra. Su nombre es Sandro Llampa, y nos guió en el recorrido por el caserío, situado a 3650 msnm y a 35 kilómetros de San Antonio. *Tengo 42 años y cinco hijos. Nací y crecí acá, y en un momento me fui a trabajar a la ciudad, pero decidí volver y hacer algo por mi pago"*, nos dijo. Y vaya si lo hizo: hace seis años decidió abrir su comunidad a los visitantes, instaló un pequeño museo sobre las costumbres de sus ancestros, abrió un restaurante (con mesas hechas con bloques de sal) y está construyendo un hospedaje, que planeaba inaugurar unos meses más tarde. Comimos unas empanadas de cordero sabrosísimas, tomamos una cervecita y seguimos charlando con este hombre, que se reivindicó como descendiente de incas.

El último dato es de película: la comunidad de Sandro tiene una cancha de fútbol 11, con bancos de suplentes incluidos. *"¿Contra quién juegan?"*, le pregunté. *"Nosotros tenemos un equipo propio, y jugamos contra... ¡alguno que le podamos ganar!"*, respondió Sandro, tan amable como divertido.

Day 21 / Km 6483

A Landmark on the Puna

We were riding along the former Route 40 toward San Antonio de los Cobres when we saw a sign: "Restaurant and lodgings El Mojón" ("The Landmark"). We detoured a couple hundred meters and reached a small village with the tidiest, best groomed adobe constructions we had ever seen. Somebody came out to meet us, Sandro Llampa, and guided us through the hamlet, 3650m above sea level and 35km from San Antonio. "I am 42 and I have five children. I was born and raised here, then I left to work in the city but I decided to come back and do something for my homeland", he said. And do something he did: six years ago he opened up his community to visitors; set up a little museum about the habits of his forefathers, opened a restaurant (the tables are made of salt) and he is building a hostel scheduled to open in a few months.

We ate delicious mutton empanadas, we had a beer and a long talk with Sandro, who claims to be descended from the Inca.

Lastly, and unbelievable: they have a full soccer field, substitute bench and all. "Who do you play against?" I asked. "We have our own team and we play against...anybody we can beat!" was his answer

En la página anterior: El Mojón es una comunidad de no más de 10 casas de adobe; al igual que otras casas perdidas en la puna salteña, tiene paneles solares que le proveen electricidad. En esta página: la cancha de fútbol 11, a 3650 metros de altura, es un desafío para cualquiera...; el bar-restaurante, con mesas hechas con bloques de sal.

Previous page: El Mojon is a 10-house adobe community; like most houses in the Puna, it features solar panels for power supply. On this page: the soccer field, at 3650m in height, a complete challenge...; the restaurant-bar with its salt tables.

Día 22 / Km. 6733

Y a pesar de todo, hay vida

Al pensar en un ambiente no apto para la vida, seguramente todos se imaginarán un lugar que prácticamente no posea agua, que tenga temperaturas extremas y que su aire no sea el mejor para respirar. Esa es la descripción más perfecta de la puna.

De los diferentes sectores puneños que recorrimos, el que va de San Antonio de los Cobres hasta el perdido poblado de Tolar Grande por las rutas provinciales 129 y 27 fue sin dudas uno de los más impresionantes. Al llegar, nos sorprendieron los Ojos de Mar, un conjunto de pozos de agua en el medio de un salar, en el que fueron descubiertos recientemente estromatolitos, microbios que están en la Tierra desde su mismo surgimiento, hace 3500 millones de años.

Quedamos fascinados. Por la increíble aridez, terriblemente bella y desconcertante, por la inmensidad, por los colores, por las texturas, por esas vicuñas y suris (los ñandúes del Noroeste) que desafían las durísimas condiciones del lugar... Pero, sobre todo, por esa gente que se atreve a refutar la lógica y sigue viviendo como sus antepasados, en esa tierra inhóspita apenas salpicada por algún arroyito que baja de las altas cumbres, sin más plantas que unos pocos pastos y arbustos bajos, y en la que en invierno todo se congela y en verano a plena luz del día los pocos pájaros que hay se esconden bajo los arbustos...

Day 22 / Km 6733

Life in spite of it all

What do you imagine when you think "unsuited for life"? No water, extreme temperatures, rarefied air... Well, that is a pretty accurate description of the Puna.

Among the various sites we visited, the stretch of Routes 129 and 27 from San Antonio de los Cobres to the desolate village of Tolar Grande is among the most impressive. On arrival we were dazzled by the Ojos de Mar, a set of water wells in the midst of a salt marsh. Stromatolites were discovered here; these are microbes that have lived on earth ever since its creation, 3500 million years ago.

We were fascinated by the terrible, puzzling dryness. By the immensity, the colors, the textures, the vicunas and suris (the ostriches of the North West) that survive these challenging conditions....But especially by the people, who dare logic and live like their forefathers, in this inhospitable land barely wet by some stream that flows from the high ranges and sparsely covered by coarse grass and low shrubs. The land where everything freezes in winter; where the few birds spotted in the summer take shelter under the shrubs...

En la página anterior: los increíbles Ojos de Mar, profundísimas lagunas situadas en medio de un salar cercano a Tolar Grande; la aridez del ambiente, salpicado por estos pozos de aguas verdes y cristalinas, conmueve hasta los huesos. En esta página, arriba: uno los muchos salares que hay en la zona suelen tener formas diferentes y particulares; abajo: el rostro de Alonso Nieva, operario del generador eléctrico que abastece a Tolar Grande, habla por sí solo de la crudeza del ambiente.

Previous page: the incredible Ojos de Mar, deep pools amidst a salt marsh close to Tolar Grande; the contrast against the dry landscape is striking. Below: Alonso Nieva, operator of the power generator; his face is witness to the harshness of the environment.

Los Colorados es un tramo de la ruta Provincial 27 salteña, que va de Salar de Pocitos a Tolar Grande, en el que se interna en un campo de conos de tierra roja, con los nevados cordilleranos como telón de fondo. En esa zona, avistar vicuñas es bastante habitual.

Los Colorados is a stretch of Salta Route 27, from Salar de Pocitos to Tolar Grande, where one enters a flatland spotted by red soil cones against the white Andes background. It is quite common to sight vicunas here.

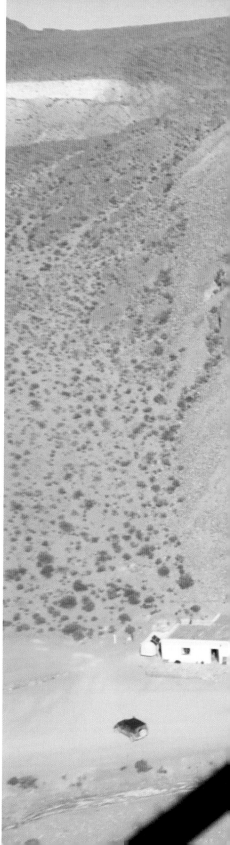

En esta página: cerca de La Poma, una pareja arenga a una yunta de burros para arar su escarpado terruño, donde siembran habas; clásicas empanadas y tamales salteños en los valles Calchaquíes; y la capilla de San José de Cachi. En la página siguiente: el viaducto La Polvorilla, a 4200 msnm; es el punto más occidental del Tren a las Nubes, el ferrocarril turístico más famoso de la Argentina, que funciona sobre las vías que llegan hasta Socompa, en la frontera con Chile.

On this page: close to La Poma, a couple encourages a pair of donkeys to plough their steep plot where they grow beans. Typical Salta empanadas and tamales in the Calchaquí valleys. The chapel of Saint Joseph in Cachi. Next page: La Polvorilla viaduct, 4200m above sea level; it is the Westernmost spot in the route of the Train to the Clouds, the best known railway track in Argentina. It gets as far as Socompa, on the Chilean border.

Molinos se formó en torno a la encomienda colonial de San Pedro de Nolasco de los Molinos. Su último propietario, Isasmendi, era el gobernador de Salta cuando sucedió la Revolución de Mayo y tuvo una posición ambigua ante el primer gobierno patrio.

Molinos grew around San Pedro Nolasco colonial encomienda. Its last owner, Isasmendi, was the governor of Salta at the time of the May 1810 revolution, and his stance vis-à-vis the first local government was ambiguous.

Día 24 / Km 7178

El abra y los valles

Desde Tolar Grande volvimos a San Antonio de los Cobres por un camino diferente al de la ida: la ruta Provincial 27 y la Nacional 51. Al día siguiente, comprobamos que la nueva traza de la RN 40 increíblemente pasa por debajo del enorme viaducto La Polvorilla e iniciamos la marcha hacia Cachi. La 40 sube y sube desde los 3770 metros de San Antonio hasta los 4971 (según el altímetro de nuestro GPS) del abra del Acay, el paso rutero más elevado del mundo. Llegar hasta allí fue uno de los grandes hitos de todo el viaje: a pesar de la altura y del fortísimo viento que hacía temblar a nuestro robusto Jeep, nos animamos a bajar y subir algunos metros más, caminando sobre un paisaje rocoso que fue lo más cercano a las imágenes de Marte que hemos visto en nuestras vidas.

Enseguida comenzó el descenso hacia el amplio valle Calchaquí, y poco a poco el paisaje se fue poblando de cardones y arbustos.

Hicimos una parada en la prolija y blanqueada ciudad de Cachi para tomar algo revitalizador en el tradicional bar Oliver, y seguimos viaje hacia Molinos, donde nos alojamos en el hotel que funciona en la antigua hacienda local, una casa del siglo XVIII que perteneció a Nicolás Severo de Isasmendi, el último gobernador realista de Salta. El pueblo en buena medida conserva su pasado colonial y recorrerlo es una delicia.

Day 24 / Km 7178

The mountain pass and the valleys

For the way back from Tolar Grande to San Antonio de los Cobres we took a different route: Provincial Route 27 and National R51. On the next day we found that the new outline of Route 40 goes below the huge La Polvorilla viaduct (incredible!) and we headed for Cachi. N R40 climbs higher and higher from 3770m at San Antonio to 4971 (our GPS says) at Abra de Acay, the highest road pass in the world. Getting there was a huge landmark in our trip: in spite of the height and the furious wind that shook our Jeep, we got off and walked on a few more meters, on rocky ground as similar to Mars as anything we had ever seen.

Then we headed downward, to the large Calchaquí valley, and into the land of thistle and shrub.

We made a stop at Cachi, neat and whitewashed, for a reviving drink at Oliver's bar, a classic, and drove on to Molinos.

There we found accommodation at the hotel that is an ancient hacienda, a converted 18thC property that belonged to Nicolás Isasmendi, the last royalist governor of Salta.

The village has pretty much kept its original look, and is a treat to visit.

En la página anterior: la quebrada De las Flechas, cerca de Angastaco, forma el tramo más deslumbrante de los valles Calchaquíes; las piedras de canto rodado que se ven a la izquierda evidencian que esto, millones de años atrás, fue fondo marino. En esta página: la iglesia de San Pedro de Nolasco de Molinos (cuya estructura original es de 1692) y el criadero de vicuñas de la Asociación de Artesanos y Productores del pueblo.

Previous page: the canyon of Las Flechas, close to Angastaco, the most dazzling stretch of the Calchaquí valleys; the rolling stones on the left are proof that this was sea bottom, millions of years ago. On this page: the church of San Pedro Nolasco, dating back to 1692, and the vicuña breeding station owned by the local Association of Craftsmen and Producers.

Día 24 / Km 7387

La resistencia

La quebrada de Humahuaca y los valles Calchaquíes son, probablemente, las regiones del país que más testimonios tienen del paso de antiguas civilizaciones. Rutas geográficas obligadas para conectar la puna con los llanos chaqueños, fueron ocupadas desde unos 10.000 años antes de la llegada de los españoles. Por ellos arribaron hacia 1470 los señores del Cuzco, que impusieron el quechua como idioma y obligaron a pagar un tributo, pero también trajeron notables adelantos técnicos. Sobran sitios que recuerdan aquellos tiempos, como el pucará de Tilcara y Potrero de Payogasta.

Sin embargo, el más impresionante de todos es la ciudadela de Quilmes, que llegó a ser habitada por alrededor de 10.000 aborígenes y tiene una historia que desgarra el alma. Los quilmes o kelmes estaban instalados aquí desde el año 800, aproximadamente, y, junto a otras parcialidades englobadas como calchaquíes, fueron los pueblos originarios que más resistieron la conquista española. Recién fueron vencidos en 1665, luego de 130 años de asedio. Desterrados, fueron conducidos a pie hacia el Sur. Muchísimos murieron en el camino, otros quedaron en Córdoba y Rosario como esclavos y unos pocos llegaron a su destino final, la actual ciudad de Quilmes, en el Gran Buenos Aires.

Day 24 / Km 7387

The resistance

The ravine at Humahuaca and the Calchaquí valleys are probably the areas with the most ancient remains in the country. They are road of choice to get from the puna to the Chaco plains and were inhabited 10,000 years before the Spanish conquerors came. These roads were trod by the Cusco lords that collected tax and imposed the Quechua language. They also brought remarkable technical improvement. Proof to that are the Pucará at Tilcara and the Potrero at Payogasta.

Most notable of all is the citadel of Quilmes, testimony of a heartbreaking story: The Quilmes, or Kelmes, had lived here as of 800 and together with other Calchaquí tribes they posed the fiercest resistance to the Spanish conquest. Only in 1665 were they beaten, after 130 years resistance. They were exiled and driven South, on a nightmarish trek. Most of them died on the way, while others were sold as slaves in Córdoba or Rosario and the survivors settled in Quilmes, in the Greater Buenos Aires.

Las ruinas de la ciudadela de Quilmes fueron descubiertas hacia fin del siglo XIX. Diversas investigaciones arqueológicas condujeron a reconstruir apenas una parte de sus muchísimas edificaciones.

The ruins of Quilmes citadel were discovered in the late 19th century. Various archaeological searches managed to reconstruct just a few of its many buildings.

En la página anterior: la ciudad está sobre los faldeos del cerro Alto del Rey, en cuyos flancos tenía baluartes defensivos; su ubicación estratégica le permitió evitar el yugo español durante 130 años. En esta página: las ruinas vistas desde uno de los sitios donde se instalaban los vigías, y Sergio Yapura, guía del lugar y parte de la comunidad Quilmes, que actualmente administra el sitio.

Previous page: the city lies on the hillside of Mt. Alto del Rey and used to be flanked by strongholds; its strategic location enabled it to resist Spanish siege for 130 years. On this page: ruins seen from one of the watch towers, and Sergio Yapura, a guide and a member of the Quilmes community that manages the site.

Argentina
DE PUNTA A PUNTA

Quilmes-Ischigualasto

Ruinas del pasado, rostros del presente

Ruins from the past, faces of today

La sonrisa de Nico, uno de los chicos que salió a nuestro encuentro en el pueblito de Los Nacimientos. Concurre a la escuela local, que tiene 13 alumnos.

At Los Nacimientos, Nico welcomes us with a big smile. He attends the local school, 13 strong.

intro

Capítulo 6

Arriba: Juan toma una piedra volcánica del escorial que está situado al final del valle de Carachipampa, cerca de Antofagasta de la Sierra. Abajo: el edificio mejor conservado de las ruinas incas de El Shincal.

Above: Juan is taking a volcanic stone from the slag located at the end of Carachipampa valley, close to Antofagasta de la Sierra. Below: the best-preserved building in the El Shincal Inca ruins.

Árida y hostil, la puna catamarqueña es la región más despoblada del país. Sin embargo, resguarda varios lugares únicos y encuentros inolvidables para aquellos que se animan a recorrerla.

La ruta Nacional 40 recorre más de 5000 kilómetros desde La Quiaca hasta Cabo Vírgenes. Las cifras oficiales del Ministerio de Turismo dicen que este camino pasa por 236 puentes, toca 13 grandes lagos y salares y conecta con 27 pasos cordilleranos. En **Argentina de Punta a Punta** la recorrimos casi en su totalidad, pero a la altura de Hualfín, en Catamarca, la abandonamos por un rato y entramos a una de las zonas más despobladas del país: el altiplano catamarqueño. Allí, todo pertenece al departamento de Antofagasta de la Sierra, que tiene 28.097 kilómetros cuadrados y una población que no supera los 1.600 habitantes. Para hacerse una idea, sólo la provincia de Tucumán se extiende por 22.524 km2, con una población de un millón y medio de habitantes.

La ruta que sale desde Hualfín en dirección Norte es la Provincial 43, que va ganando altura hasta alcanzar los 3700 metros en Pasto Ventura. A partir de allí, el altiplano se abre infinito. A la fecha de nuestro viaje (agosto de 2012), la ruta estaba asfaltada casi en su totalidad, aunque había un desvío de ripio de 13 kilómetros, debido a que tras las excepcionales lluvias del verano anterior, una laguna desbordó y cubrió el pavimento. Luego, pasando el pueblito de El Peñón, el ripio vuelve a ocupar la escena.

El paisaje es de desierto: una gran meseta con ocasionales pastos amarillos es interrumpida por volcanes cónicos, de colores negros y rojizos. Se trata de formaciones más jóvenes que las montañas de la Cordillera de los Andes, autores de una serie de escoriales de lava negra, sobre los que actualmente se puede caminar. El escenario es lunar. Además, entre El Peñón y la villa de Antofagasta se esconde el Campo de Piedra Pómez: una locura para la vista humana, con formaciones indescriptibles. Ojo: para llegar allí hay que desviarse 28 kilómetros de la ruta 43 hacia el Oeste (está señalizado), por un camino sólo apto para vehículos todo terreno, con serruchos que se vuelven insoportables y campos de cenizas y arena que obligan a reducir sensiblemente el aire de las cubiertas.

El noroeste de Catamarca remata con el salar del Hombre Muerto y las ruinas de la mina de oro Inca Huasi. Allí, la RP 43 conecta con el altiplano salteño, el mimo que nosotros habíamos visitado una semana antes.

La villa de Antofagasta de la Sierra creció turísticamente respecto de los primeros años del siglo XXI. Antes había tan sólo dos líneas de teléfono en todo el pueblo: una para recibir llamadas, y otra para emitir. Ahora, hay señal de celular y la hostería municipal cuenta con Wi-Fi. Además, se abrieron algunos hospedajes más. Por experiencia propia, hay que tener en cuenta que la estación de servicio no está abierta durante las 24 horas; por urgencias, saliendo del pueblo hacia el Sur, la última casa que se ve de mano derecha vende combustible... a precios no muy convenientes, claro.

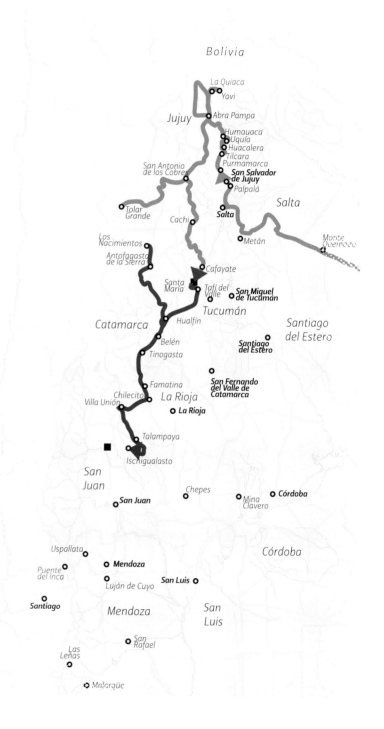

Rough and arid, the puna of Catamarca is the most uninhabited region in the country. However, it shelters unique places and unforgettable meetings for those who decide to visit it.

National Route 40 travels along more than 5000km, from La Quiaca to Cabo Vírgenes. The Ministry of Tourism literature tells us that this road crosses 236 bridges, surrounds 13 major lakes and salt lakes and connects to 27 Andean passes. Argentina from End to End followed it almost through, but in Hualfín, Catamarca, we left it for a while and ventured into one of the most desolated areas in the country: the Catamarca flatland. This is the department of Antofagasta de la Sierra, 28,097 sq km and home to not more than 16,000 inhabitants. To put you into the picture, only Tucumán Province stretches over 22,524 sq km and has a population of one and a half million.

From Hualfín, the way north is along Provincial R43, which climbs up to 3700m in Puerto Ventura. From there on, the flatland opens up to infinity. When we were there, August 2012, most of the road was paved, except for a 13km gravel detour that we had to take, as the road was blocked by water from the lake overflow after exceptionally heavy rainfall. Gravel sets in again after El Peñón. The landscape is desolate: a huge flatland, spotted by red and black conic volcanoes and the odd yellow grass lump. These are dead volcanoes, younger than the Andes. The landscape is moonlike: it features a number of black lava platforms you can walk on. Between El Peñón and the village of Antofagasta hides the Pumice Stone Field: a crazy sight, too weird for description. Mind you, to get here you must take a 28 km detour West from R43 (follow the signs), on a path only suitable for 4X4s, with harsh saws in addition to sand and ash stretches where you have to deflate tires.

The North West of Catamarca peaks at Salar del Hombre Muerto (Dead Man Salt Lake) and the ruins of Inca Huasi gold mine. There P R43 connects to the Salta flatland, which we had visited the week before. Antofagasta de la Sierra grew as a tourist site as of 2000. There used to be just two telephone lines: one for incoming calls, one for outbound calls. Now there is cellular signal as well as WiFi access at the municipal hostel. Some more lodgings have opened. We learned from experience that the service station is not open 24/7. In an emergency, the last cottage on your right on the way out sells fuel... at no reasonable price, of course.

Volcanes y volcancitos

Al norte de Antofagasta de la Sierra está el volcán Galán, cuya cumbre se eleva 5912 msnm y tiene el cráter más grande del mundo, con un diámetro máximo de 42 kilómetros. Al sur del pueblo, en tanto, hay una larga planicie sembrada de pequeños conos volcánicos, negros y rojos.

Volcanoes and little volcanoes

The Galán volcano is in the North of Antofagasta de la Sierra; it reaches the 5,912 meters above sea level and has the widest crater in the world, with a maximum diameter of 42 kilometers. In the south of this village, on the other hand, there is a large plain full of little red and black volcanic cones.

Una muestra de la aridez absoluta: no se ve ni un solo pasto en kilómetros a la redonda.

An image that shows absolute aridity: not even a leave of grass can be seen in kilometers.

Para llegar a Los Nacimientos de Antofagasta, anduvimos durante todo un día recorriendo la puna catamarqueña, un escenario tan desértico como impactante.

We drove a whole day across the puna, to get to Los Nacimientos de Antofagasta. The scene is as desolate as it is impressive.

Escenas del viaje a Los Nacimientos. Arriba: un trekking por el escorial de los volcanes cercanos a Antofagasta de la Sierra y un grafiti en el poblado de El Peñón. A la derecha: las gigantescas dunas de Pasto Ventura nos sorprendieron mientras subíamos la cuesta de Randolfo.

Scenes on the way to Los Nacimientos. Top: trekking across the slagheaps from volcanoes close to Antofagasta de la Sierra and graffitti at El Peñón. Right: the giant dunes at Pasto Ventura took us by surprise while we were climbing the Randolfo slope.

Día 25 / Km 7648

La emoción de Los Nacimientos

Los Nacimientos de Antofagasta es una comunidad de unos 80 habitantes que vive a 3800 msnm, en la puna catamarqueña, lejos de todo. Desde la ruta ripiada sale una huella hacia el Noroeste y, unos 20 kilómetros más adelante, aparece el caserío: en un vallecito de tonos ocres, las casitas de adobe se confunden entre el paisaje. Entramos por su única calle y no vimos a nadie. A nadie. Juan y Marcelo Jantzon (un amigo que se sumó en un tramo del viaje) seguían un poco desconcertados, creo.

Había venido a Los Nacimientos en dos oportunidades, varios años atrás. La primera vez llegué un poco de casualidad, mientras iba hacia el salar Del Hombre Muerto. Allí conocí a Felipa Mamanis, la comadre del lugar. Me contó cómo vivían, que tenían un invernadero, que hasta allí había llegado el INTA con el proyecto ProHuerta y que a la escuela iban chicos de otros parajes. A los dos años, volví.

Ahora, el tiempo había pasado pero Los Nacimientos estaba igual. Un hombre anciano salió a nuestro encuentro. Le pregunté por Felipa y me dijo que no estaba... Me puse triste. Pero enseguida encontramos a Azucena, hermana de Felipa. Pasamos lo que quedaba de la tarde con ella y otros integrantes de la comunidad. Les dejamos unas donaciones y, al caer la noche, nos despedimos. En el Jeep, Marcelo rompió el silencio y me dijo que me había visto emocionado. Tenía razón.

Day 25 / Km 7648

Emotions arising at Los Nacimientos

Los Nacimientos de Antofagasta is home to eighty people who live at 3800 m above sea level, in the midst of the Catamarca Puna, the back of beyond. We took a whole day to get there. From the gravel road there is a path heading North West and some 20 km ahead there is the hamlet: a small ochre colored valley, brick houses that blend in with the background. We took its only street and we did not see anybody. Not anybody. Both Juan and Marcelo Jantzon, a friend who joined us on the way, looked a bit puzzled.

I had been here twice, several years earlier. The first time I got here quite by chance, on my way to Salar del Hombre Muerto. There I met Felipa Mamanis, the village midwife. I spent a whole afternoon talking to her. She told me how they lived, that they had a greenhouse; INTA had got there with the Pro Huerta Project. She also said that children from other villages went to school there. I came back two years later.

Time had gone by but the place had not changed. An old man came out to meet us. I asked about Felipa, he said she was not there. I got sad. Then we met Azucena, Felipa's sister. We spent the rest of the afternoon with her and other members of the community. We gave them some stuff we had collected for them. We said our goodbyes and left at sunset. On the jeep, Marcelo told me that he had seen me moved. He was right.

El entorno de volcanes negros y rojizos en el valle de Carachipampa, antes de llegar a Antofagasta de la Sierra; al fondo, a la derecha, se ve el Campo de Piedra Pómez, que desciende como un río blanco e inmóvil. A la derecha: el encuentro con Azucena y los chicos de Los Nacimientos, y una de las pocas casas de esta aldea, que no llega a los 80 habitantes.

The environment, black and reddish volcanoes in the valley of Carachipampa, on the way to Antofagasta de la Sierra; in the background, to the right, the Pumice Stone Field, like a white frozen river. Right: meeting Azucena and the kids at Los Nacimientos, and one of the few houses in the hamlet that does not even have 80 inhabitants.

Dos imágenes del impactante Campo de Piedra Pómez. Llegar es una aventura de casi 30 kilómetros por una huella que en varios tramos se pierde. El premio es un lugar imposible de imaginar, que desde cerca parece un mar embravecido petrificado. Como toda la región, es producto del accionar volcánico.

Two images from Pumice Stone Field. Getting there is a true challenge, almost 30 km along a trail that gets lost more than once. The reward is this unimaginable place. On one's approach, it looks like a choppy sea that had suddenly frozen. This is the result of volcanic activity, as is the whole surrounding area.

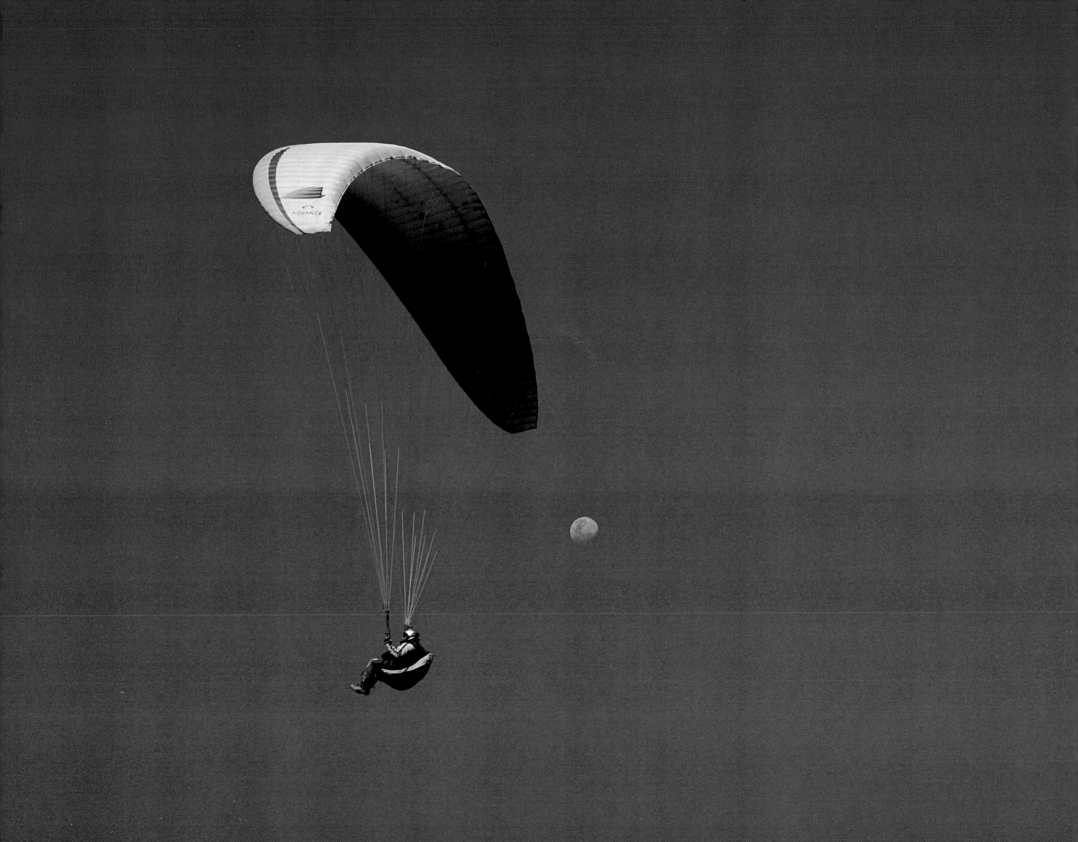

Día 27 / Km 8475

El silbido del silencio

El silencio es la ausencia de todo sonido. Sin embargo, yo lo veo como un concepto abstracto, porque nuestro cerebro, a pesar de que no haya ningún elemento emitiendo un sonido, percibe algo, aunque más no sea un chillido o un leve silbido.

Para nosotros, este fue el día del silencio. En realidad, lo empezamos el día anterior, cuando, tras rompernos la cabeza con el Campo de Piedra Pómez, enfilamos hacia las localidades catamarqueñas de Belén y Londres. Esta última es la segunda ciudad hispana más antigua del país (luego de Santiago del Estero) y fue fundada cinco veces, en parte por mudanzas y en parte por los ataques de los aborígenes locales. A cinco kilómetros de su ubicación actual están las ruinas de El Shincal, una aldea administrativa y ceremonial construida por los incas hacia 1480. Allí hicimos silencio al recordar la suerte del cacique Juan Chelemín, quien encabezó el gran alzamiento calchaquí de 1630 y fue descuartizado aquí dos años después por los conquistadores españoles.

El silbido del silencio se hizo más presente que nunca en la tarde siguiente, cuando entramos a La Rioja y en Famatina hice un vuelo de bautismo en parapente con Marcelo Sánchez, pionero del tema en la región.

Ya en la noche, el silencio tomó forma de asombro cuando, con luna casi llena, recorrimos la cuesta de Miranda hasta Villa Unión.

Day 27 / Km 8475

The whistling silence

Silence is the lack of sound. However, in my view it is an abstract concept, because our brain always perceives something, even when there is no sound. A whistle, a slight creaking...

For us this was silence day. Actually we carried that feeling from the previous day, when we headed from the awesome Pumice Stone Field to Belén and Londres (in Catamarca). The latter is the second oldest Hispanic city in the country (Santiago del Estero is the first and was founded five times, partly because of the need to move and partly to flee from aboriginal attacks). Five km from its current location stand the ruins of El Shincal, an administrative and ceremonial village built by the Incas around 1480. There we hushed to honor Juan Chelemín, the chieftain who headed a Calchaquí revolt in 1630 and was drawn and quartered by the Spanish conquerors two years later.

The whistling of silence was more apparent than ever the following afternoon, when we entered La Rioja and I took my first paragliding flight with Marcelo Sánchez, a pioneer of the activity in the area.

The awesome night, with a nearly full moon, caught us on the Miranda slope, on the way to Villa Unión.

El vuelo en parapente duró poco más de 20 minutos y terminamos cerca de la RN 40, en el valle de Antinaco-Los Colorados. Flotar a casi 1000 metros del suelo, con un águila mora curioseando al lado, fue una experiencia iniciática.

The paragliding stunt took little more than twenty minutes and we ended up close to the vicinities of N R40, in the valley of Antinaco-Los Colorados. Gliding 1000m high, with a purple eagle floating around, was a one-time experience.

En la página anterior: la plataforma de despegue de vuelo libre de Famatina está considerada una de las mejores del país; el aterrizaje está 700 metros más abajo. A la izquierda, arriba: una parada en pleno ascenso de la cuesta de Miranda. Abajo: parte de las ruinas de El Shincal, la capital administrativa de esta región del imperio inca; su semejanza con Machu Picchu es notable.

Previous page: the take-off runway for free flying in Famatina, one of the best in the country. The landing track stands 700 m below. Top left: a stop on the way up Miranda slope. Bottom: part of the ruins of El Shincal, the administrative capital of this area in times of the Inca Empire. Remarkably similar to Machu Picchu.

Algunos de los muchos petroglifos que hay en el ingreso al cañón de Talampaya; tienen unos mil años de antigüedad y sus formas son sorprendentes. A la derecha: elegimos hacer el circuito por dentro del cañón en mountain bikes; fueron ocho kilómetros ida y vuelta, rodeados por formaciones llamadas el Monje, la Chimenea, la Esfinge...

Some of the many petroglyphs carved at the entrance to Talampaya Canyon. They are about 1000 years old. Right: we biked along the canyon. Eight kilometers, surrounded by rock formations known as the Monk, the Chimney, the Sphynx...

Día 28 / Km 8685

La prehistoria se quitó el velo

Aceptamos el desafío: cerramos los ojos y retrotrajimos la mente 230 millones de años atrás. Así nos imaginamos estos valles que hoy lucen desérticos como exuberantes pantanos; los Andes no existían y los vientos llegaban húmedos desde el océano, generadores de un ambiente lleno de vida. Cuando activamos la mirada y nuestra mente volvió al presente, vimos las capas sedimentarias que los movimientos tecnónicos y la erosión dejaron al descubierto como testimonios del paso del tiempo. Un libro abierto, que los paleontólogos lograron leer para coincidir en que el conjunto geográfico que constituyen Talampaya e Ischigualasto es único en el mundo, ya que muestra como ningún lugar fósiles de todo el período Triásico, entre 250 y 199 millones de años atrás.

Visitamos primero el parque nacional riojano, en su sector más popular, el cañón de Talampaya, una gran falla en el terreno cuya historia se explica, resumidamente, así: cuando surgió la cordillera, se levantaron grandes porciones de suelo; algunas de ellas quedaron en forma horizontal, o sea, tal como estaban antes, pero mucho más elevadas. Fue lo que pasó con esta zona, que además se partió en dos y por esa falla comenzó a circular agua que, con el correr de los milenios y ayudada por el viento, fue generando el cañón que vemos actualmente. Hoy el líquido elemento está prácticamente ausente, ya que el río Talampaya sólo corre cuando llueve en forma considerable; en esos casos, puede llegar a traer dos metros de agua... Unas horas más tarde, el cañón vuelve a lucir seco, apenas barroso.

Prehistory Unveiled

We took the challenge: with eyes closed, in our minds we flew 230 million years back. We imagined these deserted valleys were luxuriant marshes. The Andes were not there and moist winds from the ocean bathed a teeming green environment. Back to the present, we saw the sediment layers that erosion and tectonic activity have left on their trail. An open book for paleontologists, who have agreed that the Talampaya-Ischigualasto formation is unique for it is the only place in the world where nearly all of the Triassic, 199 to 250 million years back, is represented in an undisturbed sequence of rock deposits. Our first visit was to the national park in La Rioja: the Talampaya Canyon, a large fault that can be summarized as follows: when the Andes range surged, large areas of the ground were lifted up; some of them remained horizontal, that is the same shape as before, only much higher up, which is what happened here. Then the flatland split in two, and water started running along the gap. The combined action of water and wind generated the canyon we see today. Nowadays there is practically no water, except at times of heavy rainfall, when water level can reach two meters. Most of the time, the canyon looks dry, barely muddy at the most.

Los paredones rojizos de Talampaya son de piedra arenisca, tienen una altura máxima de 160 metros y flanquean a los turistas que se internan en el cañón a pie, en mountain bike o en alguno de los micros de la empresa que tiene la concesión.

The reddish walls of Talampaya are made of sandstone, top height is 160m. Tourists walk, bike or ride on travel agents´ buses along the canyon.

En la página anterior: varios cóndores comenzaron a espiar nuestra presencia poco después de que ingresamos al ancho cañón. En esta página, de arriba a abajo: en el parque nacional riojano hay un circuito que reproduce en tamaño real varios dinosaurios que habitaron la zona; pedaleamos por el cañón con Héctor Maldonado, de la Asociación de Guías de Pagancillo; un chulengo (cría de guanaco) en plena carrera.

Previous page: condors peep at us soon after we enter the wide canyon. This page, from top to bottom: life-size replicas of dinosaurs in La Rioja national park; pedalling across the canyon with Héctor Maldonado, from the Pagancillo Guide Association; a guanaco cub, called chulengo, at full speed.

Día 29 / Km 8793

Entre bochas y gusanos

Llegamos al atardecer al parque provincial Ischigualasto, en cuyo discreto camping armamos la carpa. No llegamos a hacer el recorrido ese mismo día, por lo que nos asomamos al valle y tranquilamente disfrutamos de la caída del sol, que dibujaba matices y contornos detrás de cien cordones serranos.

Por la mañana hicimos el paseo guiado, que, a diferencia de Talampaya, se puede hacer con vehículo propio. El recorrido abarca 40 kilómetros, en los que observamos las célebres formaciones que identifican al lugar: el Valle Pintado (o Valle de la Luna, como se suele nombrar a todo el parque), el Gusano, el Submarino, el Hongo y la increíble Cancha de Bochas, donde la erosión ha reunido un gran número de piedras perfectamente redondas, y cada tanto el viento deja al descubierto alguna más. Uno de esos deliciosos misterios que guarda la Madre Tierra.

Ischigualasto comenzó a ser investigado en 1958. Está considerado uno de los grandes yacimientos paleontológicos del mundo, tanto que aquí se han encontrado esqueletos completos del dinosaurio más antiguo, que vivió durante el período Triásico y fue bautizado como Eoraptor Lunensis, un pequeño depredador cuyos restos se pueden observar en el edificio que el Museo de Ciencias Naturales de San Juan tiene junto al centro de interpretación del área protegida. Esta institución realiza permanentes exploraciones en el área.

Day 29 / Km 8793

Worms and Bowling Greens

By sunset we had made it to Ischigualasto National Park, and put up our tent at the camping site. There was no time to trek, so we just enjoyed the sight of the sun setting behind a hundred hilly ranges.

Next morning we took the guided tour. Here, unlike Talampaya, you can use your own vehicle. The tour covers 40km and features the famous formations that are trade mark to the place: the Painted Valley (or Moon Valley, as the whole area is often called), the Worm, the Submarine, the Mushroom and the incredible Bowling Green, where erosion has gathered a number of perfectly rounded stones. Every now and then a new one comes up, brought out of hiding by the wind. One of the many Mother Earth's mysteries.

Ischigualasto was first researched in 1958. It is ranked as one of the major paleontological fields in the world. Complete skeletons of the oldest dinosaur that lived during the Triassic period, were found here. The remains of the small predator known as Eoraptor Lunensis can be seen at the Museum of Natural Sciences in San Juan, in the building next to the interpretation center. This scientific institution is doing research on an ongoing basis.

Talampaya, en La Rioja, es parque nacional; en San Juan, Ischigualasto es parque provincial. Pero forman una unidad y ambos son Patrimonio de la Humanidad.

Talampaya is in La Rioja, and it is a national park; Ischigualasto is in San Juan and is a provincial park. But they are one unit, declared UNESCO World Heritage.

En la página anterior: el Submarino y la Cancha de Bochas, dos de las atracciones de Ischigualasto. En esta página, arriba: el Hongo se refleja en los anteojos del guardaparque Omar Alé. Abajo: el Gusano y decenas de cerros recortados por el atardecer.

Previous page: the Submarine and the Bowling Green, two of the attractions in Ischigualasto. This page, top: the Mushroom, as reflected on Oscar Alé´s glasses. He is a ranger of the protected area. Bottom: the Worm and tens of mountain ranges silhouetted against the sunset.

Ischigualasto-Bardas Blancas

Centinela de piedra, custodio del mejor vino

The Stone Sentinel guardian of the best wine

El viñedo de la bodega Finca 8, en La Consulta, que dedica toda su producción a la exportación.

Finca 8 vineyards in La Consulta. This winery exports all of its production.

intro
Capítulo 7

*Arriba: las barricas de roble francés y america-
no son en buena medida responsables del sabor
final del vino. Abajo: flores de duraznero le dan
un toque de color al blanco campanario de la
iglesia en la estancia La Candelaria.*

*Above: French and American oak barrels, re-
sponsible in part for the final taste of the wine.
Below: peach tree flowers that give a touch of
color to the church white bell tower at the Estancia La Candelaria.*

**Los casi 7000 metros del
Aconcagua marcan el punto
más alto del mundo fuera del
Himalaya. Casi 4000 más que
el Champaquí, rey de las Sierras Grandes. Mendoza y
Córdoba, enlazadas en esta
etapa del viaje.**

La luna apareció temprano la tarde que
partimos de ese valle seco que recuerda a nuestro satélite natural, en el parque provincial Ischigualasto. Y casi redonda nos recibió al anochecer en Mina
Clavero, Córdoba, a cuyo territorio entramos por el Noroeste.

La provincia mediterránea es el centro
geográfico del país y, quizás por eso,
tiene un poquito de todo, una muestra
de buena parte de lo mejor de la Argentina. Por supuesto que a escala, pero lo
tiene: sierras, bosques, ríos, lagos (para ser exactos, son embalses), salinas...
No por nada los conquistadores españoles bautizaron a uno de sus valles
como Punilla, algo así como una puna
pequeña.

A ese conjunto natural, los tres grandes
valles cordobeses le suman una buena
oferta de servicios para sus visitantes,
y una serie de historias que valen la pena ser contadas y escuchadas con
atención. Una de las más interesantes
se remonta a comienzos del siglo XVII,
cuando la Compañía de Jesús llegó a la
ciudad de Córdoba, donde se instaló y
tiempo después fundó el colegio Máximo, que en 1621 se convirtió en la Uni-
versidad de San Carlos, la primera del
país y una de las primeras de América
Latina. El prestigio del sistema educati-
vo jesuita se extendió por toda esta
parte del continente, al punto que las

familias más distinguidas de las grandes ciudades enviaban a sus hijos a es-
tudiar allí. Para sostener esa estructura, los hábiles sacerdotes y hermanos
coadjutores armaron un entramado de
establecimientos agropecuarios que
abarcó decenas de miles de hectáreas.
Tres siglos después, la UNESCO las de-
claró Patrimonio Cultural de la Humanidad junto a la Manzana Jesuítica de
Córdoba capital.

El valle de Traslasierra nos vio pasar
luego hacia el Oeste, de vuelta hacia los
Andes, para salir al encuentro de las
cumbres más altas de Occidente. El
colosal Aconcagua apareció en el hori-
zonte con su cumbre cubierta de nieve,
colgado de las nubes y dejando clara la
razón de su nombre: centinela de piedra, en lengua quechua, ese idioma
que encontró aquí su punto más austral de penetración, ya que el imperio
inca llegó a la zona hacia el año 1480,
apenas medio siglo antes que los españoles. Estas eran las tierras de los
huarpes, pacíficos aborígenes que incluso antes del arribo de los señores de
El Cuzco habían aprendido a irrigar la
tierra con canales.

Esos canales que antecedieron a las fa-
mosas acequias que caracterizan a
Mendoza, sinónimo de buen vino desde
que en 1562 su fundador, Pedro del
Castillo, introdujo el cultivo de la vid.
Hoy esta quebrada tierra de sol, clima
seco y suelos cargados de minerales es
la patria de los mejores malbec del
mundo.

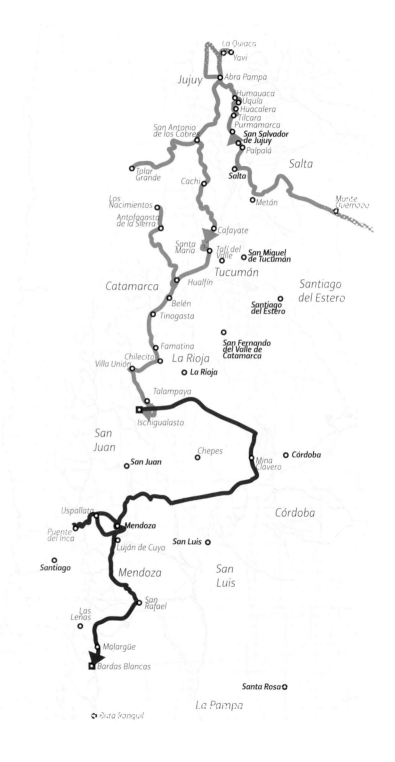

Aconcagua -nearly 7,000 meters- is the world's highest peak outside the Himalayas. It's almost 4,000 meters higher than Mt. Champaquí that presides over the Sierras Grandes. Mendoza and Córdoba have been joined together in this leg of our trip.

The moon rose early that evening. We were then leaving behind the dry valley that resembles our natural satellite in Ischigualasto Provincial Park. And an almost round moon welcomed us to Mina Clavero, Córdoba, whose territory we entered from the Northwest.

This Mediterranean province is the country's geographic center and that may be the reason why it has a bit of everything, just a sample of the best to be found in Argentina, though at scale of course. It features hills and woods as well as rivers, lakes (dams in fact) and salt flats... Not surprisingly, one of its valleys was called Punilla, just like a small Puna. The three big valleys in Córdoba have added an important tourist service offer to the natural setting. There are also several stories that are worth being attentively listened to. One of those stories dates back to the early 17th century when the Society of Jesus set foot in Cordoba City. After settling down there, they founded the Collegium Maximum that would later become San Carlos University (1621). That was not only the country's first university but also one of the first universities in Latin America. The Jesuit educational system's prestige

was so respected all over this part of the continent that the most distinguished families sent their children to be educated there. In order to support that structure the skillful priests and lay brothers set up a network of farming institutions that stretched over thousands of hectares. Three centuries later they were declared UNESCO World Cultural Heritage together with the Jesuit Block in Cordoba City. Traslasierra Valley then witnessed our westbound march, towards the Andes once more, to have an encounter with the highest peaks in the Western Hemisphere. We spotted the colossal Aconcagua with its snow-capped summit in the horizon; it clung to the clouds and the origin of its name ("stone sentinel" in Quechua language) was pretty clear then. This area was the Inca Empire southernmost penetration point, for the Inca people got here around 1480, only half a century before the Spaniards. This land used to belong to the Huarpes, the pacific aboriginal tribe that had already designed a canal irrigation system before the arrival of the Lords of Cuzco. Those canals were the predecessors of the famous irrigation-ditches that have made Mendoza renowned for its premium wines. Back in 1562, founder Pedro del Castillo started the grape growing tradition and today this dry sunny region with its broken land and mineral-rich soil is the best Malbec producer in the world.

Las estancias jesuíticas

El sistema productivo que armaron los hombres de la Compañía de Jesús en Córdoba abarcó las estancias de Jesús María, Santa Catalina, La Candelaria, Alta Gracia y San Ignacio, y la Casa de Caroya. Cada una de estas propiedades pasó a manos privadas a partir de 1767, cuando los jesuitas fueron expulsados de las colonias españolas. Con excepción de la desaparecida San Ignacio, en el año 2000 pasaron a integrar el listado de Patrimonios de la Humanidad de la UNESCO.

Jesuit estancias

The productive system built by the Society of Jesus men in Cordoba, included the following estancias: Jesus Maria, Santa Catalina, La Candelaria, Alta Gracia and San Ignacio as well as Casa de Caroya. Every estate in the list went to private hands as of 1767, when the Jesuits were expelled from the Spanish colonies. In the year 2000 they were listed among UNESCO World Heritage sites; all but San Ignacio that is no longer standing.

El cruce de uno de los muchos túneles que hay sobre la ruta Nacional 7, en el tramo de Uspallata a Las Cuevas.

The crossings of one of the many tunnels on the National Route 7, from Uspallata to Las Cuevas.

La pampa y las cumbres de Achala constituyen el más típico ambiente cordobés, atravesado por cauces secos que desbordan de agua cada vez que llueve.

Achala Pampas and Summits feature the typical Cordoba environment. Dry riverbeds that overflow their banks after rainfall run through the area.

Arriba: luna llena sobre el cordón de las Sierras Grandes, a la altura del camino de las Altas Cumbres; y una vista de la ranchería (hogar de los esclavos africanos) y la capilla de la estancia jesuítica La Candelaria. En la página siguiente: un camino entre grandes bloques de piedra sobre las cumbres de Achala.

Top: a full moon over Sierras Grandes mountain range at the High Summits road; view of the African slave houses and chapel at La Candelaria Jesuit estancia. Next page: road amid huge stone blocks on the Achala Summits.

Día 30 / Km. 9420

Córdoba: sierras, arroyos e historia

Desde el comienzo de este viaje sabíamos que el dibujo del recorrido por el contorno del país iba a quedar imperfecto, con una suerte de punta de flecha hacia adentro en el corazón argentino. Pero las sierras de Córdoba no podían faltar en este Argentina, de punta a punta. Porque son uno de los únicos nudos montañosos que hay en el territorio nacional fuera de los Andes y porque fueron uno de los primeros destinos turísticos que se desarrolló, gracias a su proverbial clima seco y templado, a sus paisajes y a la cercanía con los grandes centros urbanos.

Enmarcados por varios cordones serranos, en el centro-oeste de Córdoba hay tres grandes valles: Punilla, Calamuchita y Traslasierra. Elegimos visitar el último, haciendo base en la ciudad de Mina Clavero.

Por la mañana enfilamos hacia el camino de las Altas Cumbres, que surca las Sierras Grandes y conecta a este valle con los otros dos. Pero no cruzamos hacia el otro lado, sino que antes de llegar al parque nacional Quebrada del Condorito dejamos la RN 20 a un costado y retomamos hacia Traslasierra, por una ruta de tierra y piedra que circula sobre las cumbres de Achala, una altiplanicie rocosa salpicada de matas amarillentas. Por allí arribamos a La Candelaria, la única de las antiguas estancias jesuíticas que quedó en medio del campo serrano.

Day 30 / *Km 9420*

Córdoba: hills, creeks and history

From the very beginning of this trip we knew that the drawing resulting from our itinerary along the country outline would lack perfection, for it would feature an arrow-point toward the Argentine heart. But Cordoba hills deserved to be present in Argentina, from end to end as they are the only mountain range in the country, with the exception of the Andes. This was also one of the first tourist destinations to be developed due to its scenery, its ideally dry and temperate climate as well as to its closeness to the main urban areas.

Punilla, Calamuchita and Traslasierra are three large valleys framed by several mountain ranges located in Cordoba's central-west area. We picked Traslasierra and opted for Mina Clavero as our temporary headquarters.

In the morning we headed for the road of the High Summits that runs through Sierras Grandes –Great Hills– and links this valley to the other two. We never crossed to the other side though; before reaching Condorito Gorge National Park we left N R20 aside and took an earth-and-gravel road toward Traslasierra once more. Such road winds around the Achala summits: Achala is a rocky plateau sprinkled with yellowish shrubs. We then arrived at La Candelaria, the only Jesuit estancia standing amidst the highlands.

Día 31 / Km. 10.113

Mendoza, magia tinta

Me cuesta entender a las personas que no les gusta el vino. De verdad. Una copa de un buen tinto puede llegar a ser mágica. Apenas una copa. Es capaz de dibujar sonrisas, elevar el espíritu, sosegar tempestades internas y generar encuentros inolvidables.

Llegamos a Mendoza desde Córdoba. Los kilómetros se iban acumulando y el cansancio comenzaba a pesar. Pero en una tarde se iba a despejar. Se empezó a perfilar cuando arribamos a la posada Borravino, un hotel boutique en Chacras de Coria, y alcanzó su punto máximo cuando traspusimos las puertas de Familia Zuccardi, una de las bodegas que en los últimos 15 años llevaron el prestigio de los vinos argentinos a lugares insospechados hasta entonces.

El propio José Alberto Zuccardi (presidente de la bodega) nos dio la bienvenida y nos invitó a almorzar en Pan y Oliva, un restaurante de espíritu informal y mediterráneo que funciona dentro de la finca. Allí vivimos la experiencia de degustar primero un aceite de oliva excepcional y, luego, un malbec Serie A, una de las líneas de alta gama de Zuccardi.

Recorrimos algunos viñedos que estaban a punto de brotar, visitamos los sectores de investigación de la bodega y terminamos cuando las luces de la ciudad inundaban el llano y la luna llena recortaba la figura del Aconcagua sobre el cielo. ¿El cansancio? Se había transformado, ya no estaba allí.

Day 31 / _Km 10,113_

Mendoza's red magic

It's hard for me to understand those people who don't like wine, and I mean it. A single glass of good wine can work wonders. It can make you smile and cheer you up, or even soothe internal turmoil and foster unforgettable encounters.

We reached Mendoza from Cordoba. While the number of kilometers kept on the rise, tiredness started to leave its impact upon us, but it would soon clear up. We felt this the minute we arrived at Borravino lodge, a boutique hotel in Chacras de Coria. And by the time we entered Familia Zuccardi's winery it had reached its peak. Throughout the last 15 years, this winery has successfully taken Argentine wine's fame to places never thought of before.

The winery president, Jose Alberto Zuccardi himself welcomed us and invited us to lunch at "Pan y Oliva", the informal Mediterranean-like restaurant within the estate. It was there that we tasted an exceptional olive oil followed by a Serie A Malbec, one of Zuccardi's premium lines.

We went around some of the vineyards that were about to bloom and then visited the winery's research section. Our visit ended when the city lights had spread over the plains and the full moon reflected Aconcagua's figure in the skyline. There were no signs of tiredness left...

Argentina, de punta a punta, tuvo su etapa dionisíaca en Mendoza. Degustamos un gran malbec y un aceite de oliva de la variedad arauco, que apunta a transformarse en un símbolo internacional del país.

Argentina, from end to end, enjoyed its Dionysian moment in Mendoza. We tasted a great Malbec and Arauco-type olive oil, which is on the way to becoming a country worldwide symbol.

La ruta del vino mendocina ofrece muchísimas bodegas y viñedos para visitar. De arriba a abajo: un viñedo de malbec orgánico, José Alberto Zuccardi en la cava de su bodega y botellas de alta gama esperando para inundar el ambiente con sus aromas.

There are lots of wineries and vineyards to visit along Mendoza Wine Route. From top to bottom: organic Malbec vineyard; Jose Alberto Zuccardi in his wine cellar; premium bottles await before spreading their aroma around.

El Aconcagua es el pico más alto del mundo
fuera de los Himalayas: su cumbre se eleva
6960 metros sobre el nivel del mar. Aquí se ve
su temible pared Sur desde una laguna
congelada en el inicio de la senda que lleva a
Plaza de Mulas, su campamento base. A la
derecha: el famoso Puente del Inca, cuyo cruce
fue prohibido poco tiempo atrás para evitar
que esta curiosa formación natural se siguiera
deteriorando; algunos puestos venden
elementos expuestos a la acción de las aguas
con óxido de hierro.

Aconcagua is the world's highest peak outside
the Himalayas: its summit being at 6,960m
above sea level. In this picture we can
appreciate the scary Southern wall seen from
a frozen lagoon located at the beginning of the
trail leading to Plaza de Mulas - Mule Square-
the base-camp. Right: the famous Inca Bridge;
crossing this bridge was banned a short time
ago to prevent this unusual natural formation
from decaying; artifacts exposed to the action
of iron-oxide water are sold.

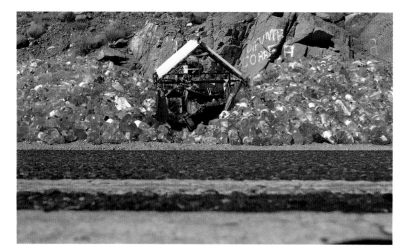

En la zona se instalaron dos hoteles termales de lujo: el de Puente del Inca fue destruido por un alud en 1965; el de Villavicencio cerró en 1978.

Two thermal luxury hotels were set up in the area. Puente del Inca hotel was destroyed by an avalanche in 1965, the one in Villavicencio closed down in 1978.

Arriba: uno de los muchos santuarios ruteros que existen en Cuyo dedicados a la Difunta Correa; y el camino de los caracoles de Villavicencio, dotado de 365 curvas. En la página siguiente: algunos de los muchos túneles que atraviesan la montaña en la ruta que va hasta Las Cuevas.

Top: one of the Cuyo road shrines devoted to Difunta Correa; the so-called "snail road" in Villavicencio features 365 bends. Next page: some of the tunnels that run through the mountain on the way to Las Cuevas.

Día 32 / Km. 10.403

A la sombra del coloso

Desde la ciudad de Mendoza hacia el Oeste se abre un tramo de 200 kilómetros, espectacular por lo paisajístico, que permite asomarse al sector más alto de toda la cordillera de los Andes, columna vertebral de Sudamérica. Salimos por la ruta Nacional 7 y a medida que avanzamos fuimos trepando en altitud, mientras atravesábamos decenas de túneles excavados en la dura roca andina.

Es un área que está llena de atractivos, muchos de ellos muy difundidos, aunque no por ello menos interesantes. Quizás el más conocido de ellos es el que recuerda que este fue el punto más austral del Tihuantasuyo o imperio incaico: el Puente del Inca, una formación natural cuyo origen no está del todo claro, aunque la teoría más aceptada habla de un puente de hielo sobre el río Cuevas, en el período postglacial, al que se le agregaron rocas por desprendimientos de las montañas; los minerales de las aguas termales que surgen en la zona habrían contribuido para cementar esas rocas una vez que se derritió el hielo.

Algunos kilómetros más adelante, frenamos para caminar un rato por el inicio de la senda que lleva hasta el pie del Aconcagua, y, ya en Las Cuevas, la nieve nos impidió subir hasta el Cristo Redentor, que se instaló en 1904 a 3854 msnm, como símbolo de amistad entre Argentina y Chile. La vuelta a Mendoza la hicimos por la RP 13, el viejo camino de los caracoles de Villavicencio.

Day 32 / Km 10,403

The shadow of the Colossus

A 200-kilometer stretch of spectacular landscape value opens up west of Mendoza City. This is the highest portion of the Andes range, the South American backbone. We took National R7 and as we drove on, the height increased while we went into dozens of tunnels excavated through the hard Andean rock.

The area abounds in attractive sights, some of which are now quite renowned, but still really interesting. Puente del Inca - Inca Bridge- is perhaps the most well-known site in the list. This natural formation was the southernmost Tihuantasuyo (Inca Empire) point and its origin is highly controversial. The most widely accepted theory states that in the post-glacial period there used to be an ice bridge over Cuevas River. Landslides might have added rocks to the formation, while thermal waters in the area could have helped cement the rocks once the ice had melted up.

Some kilometers farther on, we made a stop to go for a walk along the trail leading to the Aconcagua bottom. Once in Las Cuevas, the snow prevented us from climbing to Cristo Redentor (Christ the Redeemer) Monument -3,854m above sea level- which was set up in 1904 as a symbol of Chilean-Argentine friendship. On the way back to Mendoza, we took P R13 (the old Villavicencio snail road).

Día 33 / Km. 11.038

Saltos sobre aguas blancas

El sur de Mendoza es una de las mecas del turismo aventura en la Argentina. Y un poco de acción afuera del Jeep nos venía muy bien. Llegamos a San Rafael y enseguida pusimos proa hacia el cañón del Atuel, uno de los ríos que más embalses y usinas hidroeléctricas tiene en todo el país. Uno de esos embalses es el muy atractivo Valle Grande, que está rodeado por altos acantilados y se llena de visitantes jóvenes cada fin de semana. Allí paramos a disfrutar del atardecer, mate en mano.

Algunos kilómetros río abajo hicimos la excursión de rafting. A pesar de que se trata de una salida apta para toda la familia, nuestros amigos Daniela Maregatti y Willy Saudan (que se sumaron al viaje durante unos días) no se habían subido nunca a una balsa de rafting, y tenían algunas dudas... Una hora y media más tarde, estaban tan empapados como exultantes. Sharbel, el joven guía, nos había llevado por los rápidos más movidos del Atuel, que despertaron gritos y carcajadas en todos los miembros de la tripulación, menos en uno: su fiel Marley, ¡un labrador tan negro como valiente!

Day 33 / Km 11,038

Whitewater rafting

Southern Mendoza is an adventure-tourism mecca in Argentina. And we could certainly do with a little action outside our Jeep! When we reached San Rafel, we headed for the Atuel Canyon; the Atuel is one of the rivers with the highest number of dams and hydroelectric plants in the country. The beautiful Valle Grande, surrounded by high cliffs, features one of those dams; crowds of youngsters fill the place every weekend. We stopped there to enjoy sunset while we had a round of mate. We took the rafting excursion a few kilometers downriver. Although this was a family- friendly ride, Daniela Maregatti and Willy Saudan (who had joined us for a couple of days) were a bit hesitant for they had never been on a raft before...an hour and a half later they were not only soaked but also exhilarated! Sharbel, our young guide, had paddled us onto the Atuel's fastest flowing rapids, which had triggered shrieks and laughter among every crew member. All but one: his loyal dog Marley, a brave pitch-black Labrador.

El rafting sobre el río Atuel es de grado II/III, en una escala que va de I a VI. Por lo tanto, brinda su dosis de adrenalina, pero es apto para todos.

Atuel's rafting classification is grade II/ III - scale ranges from I to VI- . Therefore it is an adrenalin booster that can be enjoyed by everyone.

En la página anterior: una escena desde adentro de la balsa; el guía hace de timón, pero todos tienen que remar. En esta página: el embalse Valle Grande, el más impresionante de los lagos artificiales sobre el Atuel. Abajo: durante el rafting, el guía salta y cae a los pies de Marley, su perro.

Previous page: scene taken from the raft; the guide steers forward but everyone else must keep paddling. On this page: Valle Grande Dam, the most impressive artificial lake on the Atuel. Bottom: during the rafting, guide jump; his dog Marley lies at his feet.

La Caverna de las Brujas se formó a lo largo de miles de años, gracias a filtraciones de agua desde la superficie que fueron perforando la piedra caliza. Hoy es la única caverna de la región habilitada para ser visitada.

It took the Witches' Cavern thousands of years to form. The limestone was perforated as a result of water infiltrations coming from the surface. This is the only cave in the region that can still be visited.

Aquí: un grupo de visitantes en la sala de la Virgen, que está cerca de la entrada y es la más grande de la caverna. A la derecha, arriba y en el medio: estalactitas, estalagmitas, velos, cortinas y pasadizos no aptos para claustrofóbicos forman este "viaje al centro de la Tierra". Abajo: el cruce del río Negro, responsable de un profundo cañón sobre un gran bloque de piedra volcánica en el sur de Mendoza.

On this page: a group of visitors in the Virgin's chamber, the largest in the cave, located next to the entrance. Right, top and middle: the "journey toward the center of the Earth" boasts stalactites and stalagmites as well as veils, curtains and corridors that are not suitable for those suffering from claustrophobia. Bottom: the Grande River deep canyon in southern Mendoza has been carved upon a huge volcanic rock block.

Día 34 / Km. 11.320

Las entrañas de la Tierra

"Las leyendas son eso: leyendas", nos dijo Estela Chilaca, y comenzó a hablar: *"Cuando estas tierras eran habitadas por aborígenes, dos mujeres prisioneras de una tribu lograron escapar y encontraron esta caverna. Aquí se escondían durante el día, y por la noche, salían en busca de alimento. Otros aborígenes las descubrieron, pensaron que eran las esposas de los machis (sacerdotes mapuches) y comenzaron a espiarlas. Semanas más tarde, unos pocos valientes se acercaron a la entrada de la caverna y las vieron con pelos muy largos y uñas crecidas. En un momento desaparecieron y dos lechuzas gigantes salieron volando encima de ellos. Los valientes salieron corriendo espantados... Desde entonces, se conoce como Caverna de las Brujas".*

Estela fue nuestra guía en este fantástico lugar, la más misteriosa y atrapante de las reservas provinciales que hay en la zona de Malargüe.

La caverna tiene un recorrido de cerca de 300 metros de largo, con algunos pasadizos por los que apenas entra una persona. La experiencia de ingresar a ella es extremadamente sensorial, ya que no hay luz y sólo se avanza con linternas. Cuando Estela pidió silencio y que se apagaran las luces, nuestros sentidos se dispararon en medio de la oscuridad absoluta; lo único que se escuchaba era el sutil ruido de las gotas cuando chocaban contra el suelo.

Day 34 / *Km 11,320*

Toward the guts of the Earth

"Legends are merely legends" said *Estela Chilaca as she began to talk: "When aboriginal tribes inhabited this land, two women held captive by one of the tribes managed to escape and later found shelter in this cavern. They stayed in the cave throughout the day and left the place in search of food at night. When some other natives noticed this, they started to spy on them for they thought the women were the Machis' wives (Machis were Mapuche priests). Shortly afterwards, a few brave men went close to the cave and saw the women had extremely long hair and nails. The women later disappeared and to the natives' dismay, two huge owls flew out of the cave over their heads. The brave men fled the place in terror... Since then this cave has been known as Witches' Cave".*

Estela was our guide around this place, the most intriguing provincial reserve in the Malargüe region.

The cavern stretches over almost 300m in length; some of the corridors are so narrow they can barely hold a single person. Torches are essential to move on, for there is no light whatsoever inside, therefore entering the cave is a highly sensory experience. When Estela asked for silence and lights were turned off, all our senses came into play in the midst of the utmost darkness; only the subtle noise made by the water droplets clashing against the ground was heard.

Bardas Blancas-Esquel

Verde esmeralda, azul profundo

Emerald green, deep blue

Un viejo puente en ruinas sobre el río Ruca Malén, que desagua en el sector Norte del lago Correntoso.

An old ruinous bridge on Ruca Malén river, which flows onto the northern section of Lake Correntoso.

intro

Capítulo 8

Arriba: la RN 40 mirando hacia el Norte, a la altura de la cordillera Del Viento, en Neuquén; y una imagen que reúne a los dos árboles más singulares de la región de los lagos: el arrayán y el alerce.

Above: the RN 40 looking northwards, at the level of the Cordillera Del Viento, in Neuquén; and an image that gathers the most singular trees in the lake region: the larch and the myrtle.

La Patagonia andina es una de las regiones más impactantes del mundo, por sus montañas y valles escarpados, la infinita estepa que se abre hacia el Este, sus glaciares colgantes, sus densos bosques y un sinfín de lagos que varían entre el verde esmeralda y el azul profundo. Si la Humanidad naciera hoy, este sería el paraíso.

Si bien no hay un consenso absoluto sobre dónde comienza la Patagonia (a nivel geográfico, el río Colorado es el límite Norte más aceptado), después de dejar Mendoza y entrar a Neuquén ya percibimos un cambio en la geografía. Las grandes y áridas montañas de Cuyo habían desaparecido y una impactante mixtura de formaciones se dejaba ver desde la ventanilla del Jeep.

La antesala de los Andes australes es la cordillera del Viento, un cordón montañoso que supera en altura a la cordillera Principal. Frenamos dos veces mientras desandábamos la RN 40 en este tramo, y cuando abrimos la puerta del Jeep, el viento nos sorprendió con ráfagas fortísimas.

La Patagonia como región geográfica tiene una superficie de 800.000 kilómetros cuadrados, y se divide en tres sub-regiones: los Andes, la estepa y la costa atlántica. Desde el Norte, nosotros entramos por la flamante Ruta del Pehuén, una nueva propuesta turística regional que incluye a las localidades de Caviahue-Copahue, Villa Pehuenia y Aluminé. Allí, los bosques de araucarias araucanas, únicos en el mundo, le dan un toque bucólico a este encantador paisaje. Esta prehistórica especie es

considerada sagrada por los mapuches, puede llegar a vivir 1000 años y tiene un dimorfismo sexual evidente, ya que las hembras producen el célebre piñón, que madura cada dos años.

El río Aluminé nace en el lago del mismo nombre y es uno de esos lugares que a cualquier viajero sensible lo hace estremecer: el curso de agua serpentea entre valles recortados por grandes paredones de roca, con araucarias que parecen descolgarse hacia el vacío. A veces desde arriba, a veces a su misma altura, la ruta que lo bordea es un espectáculo. Desde Junín de los Andes hasta Esquel, la Patagonia muestra su costado más amigable, con los deslumbrantes Siete Lagos y sus bosques de nothofagus. En todo este tramo, la gastronomía, la hotelería, los servicios de guías de turismo y las conexiones terrestres y aéreas están al alcance de la mano, brindándole al viajero un sinfín de alternativas. Como novedad, mientras pasábamos por Villa La Angostura (septiembre de 2012), nos enteramos de que el curso de la ruta Nacional 40 había sido modificado: Junín de los Andes, San Martín de los Andes y La Angostura, incluidos los Siete Lagos, ahora son atravesados por la ruta más larga y mítica de la Argentina, la misma que nosotros veníamos recorriendo desde su extremo Norte, en La Quiaca, Jujuy...

Esquel podría considerarse el límite Norte de la región de los lagos. A partir de allí, las distancias se alargan y la ruta 40 se sumerge en la meseta esteparia.

The Andean Patagonia is one of the most impressive areas in the world, for its mountains and steep valleys, for the endless steppe that opens to the East, for its hanging glaciers, its dense woods and numberless lakes that go from emerald green to deep blue. If mankind were to be born today, this would be the Garden of Eden.

There is no absolute consensus about the boundaries of Patagonia (geographically, the most widely accepted Northern boundary is the Colorado River), when you leave Mendoza and enter Neuquén you feel a change in the environment. No more tall dry mountains as in Cuyo, in their place an array of impressive formations can be appreciated from our Jeep.

The gate to the Southern Andes is the Wind Range, a mountain range that rises higher than the main Andes. Twice we had to use the brakes while we went back on our track along N R40, and when we opened the door of the Jeep, the furious wind took us by surprise.

Patagonia as a geographical item covers 800,000sq km and breaks down in three sub-regions: the Andes, the steppe and the Atlantic coast.

Coming from the North, we gained access along the brand new Pehuén track, a new tourist proposal that includes the locations of Caviahue-Copahue, Villa Pehuenia and Aluminé. The Araucaria woods, found nowhere else in the world, add to this wonderful scenery. This species is prehistorical and was taken as sacred by the Mapuche. Trees can live up to 1000 years and feature a sexual dimorphism for the female tree produces the famous pinecone that ripens every two years. The Aluminé River stems from the lake with the same name and is a breathtaking sight to any sensitive traveler: water flows along valleys bound by mighty rock walls, and the araucarias seem to hang in the void. The road offers an amazing view from above at some stretches, and from the same level at others.

Between Junín de los Andes and Esquel we see Patagonia at its friendliest. The dazzling Seven Lakes, the Nothofagus forests and the tourism infrastructure. All along this track, it is easy to get airborne and land transport, hospitality, cuisine...everything is there, and voyagers choose between countless options. On our way through Villa La Angostura (September 2012) we learned that the design of National Route 40 had been modified so that this long iconic track, the same we had covered from its Northernmost tip at La Quiaca, now joins Junín de los Andes, San Martín de los Andes, La Angostura and the lakes.

Esquel is the Northern boundary of the lake region. From there on, distances increase and National Route 40 enters the steppe

El origen del nombre

El bautismo de la región es atribuido a Fernando de Magallanes, el primer occidental que llegó a estas tierras, en 1520. Allí, tras tomar contacto con los tehuelches, vio que eran hombres altos y corpulentos, y los llamó patagones. Durante mucho tiempo se creyó que esta denominación se debía al gran tamaño de sus pies. Sin embargo, se cree que Magallanes estaba leyendo la novela Primaleón, muy popular por entonces. Primaleón era el nombre del protagonista que, en un momento del relato, captura al gigante Patagón.

The origin of the name

Patagonia is attributed to the first Westerner that set foot in this area in 1520: Fernando de Magallanes. When he first sighted the Tehuelche people, he realized they were tall and stout so he called them Patagones. For years, it was assumed that the name stemmed from the size of their feet. But, legend has it that Magallanes was then reading the popular novel Primaleon. Primaleon was the protagonist who had to fight the Giant Patagon at some point in the plot.

El Machónico, uno de los espejos de aguas cristalinas que forman el camino De los Siete Lagos. Los otros son el Lácar, el Falkner, el Villarino, el Escondido, el Espejo y el Correntoso.

The Machónico, one of the most crystalline water mirrors that make up the Camino De los Siete Lagos (Route of the Seven Lakes). The other ones are the Lácar, Falkner, Villarino, Escondido, Espejo and Correntoso.

Día 35 / Km. 11.503

Hola Patagonia

Los límites políticos no son límites geográficos. Lo comprobamos con claridad cuando cruzamos el río Barrancas e ingresamos a la provincia de Neuquén por la RN 40. Nominalmente, en ese momento entramos a la Patagonia, aunque, en realidad, nos mantuvimos durante largo rato por un ambiente más cuyano que patagónico. Es un área de transición, que va descendiendo en altitud a medida que se avanza hacia el Sur.

Antes, en la porción austral de Mendoza, hacia el Este habíamos alcanzado a divisar La Payunia, una amplia planicie que tiene la mayor concentración de conos volcánicos del mundo. Y, ya en Neuquén, sobre la ruta pasamos entre dos altos volcanes dormidos: el Tromen, de 4114 metros, y el Domuyo, que con sus 4709 metros es el pico más alto de la Patagonia; forma parte de la cordillera Del Viento, eje de una zona en la que la actividad volcánica se manifiesta a través de géisers y termas.

Arriba: una formación llena de color en las montañas que enmarcan el nacimiento del río Colorado. Izquierda: un rebaño de cabras arriado rumbo a la veranada. Página siguiente: el volcán Tromen visto desde el interior del Jeep.

Top: colorful relief in the mountains around the source of the Colorado River. Previous page: a herd of goats reared toward the summer grazing fields. Left: the Tromen seen from inside the Jeep.

Day 35 / Km 11.503

Hello Patagonia

Political boundaries and physical boundaries not always agree. This is true for countries as well as for regions or provinces, and we had proof of it when we crossed the Barrancas River and entered the province of Neuquén. Formally we were entering the Patagonia, though in fact the environment was more like that of Cuyo. This is a transition area that descends gradually as you go South until you find yourself in the steppe. When we were still in Mendoza we glimpsed, to the East, the Payunia, a wide plain with the highest concentration of volcanic cones in the world. And once in Neuquén we drove between two dead volcanoes, the Tromen, 4114m, and the Domuyo, 4709m, the tallest in Patagonia. The latter is part of the Range of the Wind at the heart of an area of volcanic activity where you see geysers, thermal waters and fumarolas (volcano gas vents).

El norte neuquino es, en términos biogeográficos, una zona de transición entre los ambientes cuyano y patagónico. Chos Malal es la única ciudad de cierta importancia.

In biogeographical terms, the North of Neuquén is a transition area between the Cuyo and Patagonia ecosystems. The only city that enjoys some relevance is Chos Malal.

Día 36 / Km 11.878

Amigos del pehuén, ayer, hoy y siempre

Cuando se habla de indios, los chicos (y algunos adultos también...) esperan encontrarse con gente vestida con plumas y taparrabos. Lejos de ese prejuicioso concepto, los mapuches de la comunidad Puel dieron un paso muy audaz doce años atrás, cuando decidieron involucrarse en la vida turística de la zona en la que viven. En ese momento, Villa Pehuenia se mostraba como uno de los destinos con mayor proyección dentro del territorio neuquino, y los Puel contribuyeron para confirmar el pronóstico. Con el apoyo financiero de la Provincia del Neuquén, y manteniendo su organización comunitaria, estos mapuches instalaron y administran el parque de nieve que funciona en los faldeos del volcán Batea Mahuida, un pequeño centro de actividades invernales que tiene cuatro medios de elevación y varias pistas. Charlamos con Alfredo Catalán y Abel Barra, lonco (cacique) y huerque (una suerte de vocero) de los Puel: *"De alguna forma fuimos recuperando nuestro espacio, y nos reagrupamos formalmente como comunidad, siendo reconocidos de a poco por el Estado. Entendimos las cuestiones actuales y trabajamos duro para cambiar nuestra forma de vida, lo que en parte ha sido bueno y en parte malo"*, nos dijo Alfredo, a lo que Abel agregó: *"Los más ancianos en general prefieren seguir con sus animales, pero los más jóvenes se han adaptado a la actividad turística".*

Day 36 / Km 11.878

Friends of the pehuén forever

When we say Indians, children, and even some adults, think of people in loincloths and feather headdresses. The Mapuche of the Puel community cannot be farther from the stereotype. Twelve years ago they took an ambitious step, when they decided to get involved in tourism. At that time Villa Pehuenia promised to be a hot spot for tourists and the Puel contributed to make that forecast come true.

With financial support from the province and relying on their communal organization, they then set up and to this day manage the snow park on the hillside of the Batea Mahuida volcano, a small winter sports center that now features four ski lifts and several tracks. We talked with lonco (chieftain) Alfredo Catalán and huerque (spokesman) Abel Barra: "Somehow we recovered our space as a community, and we have gained formal recognition from the federal and provincial state. We understand that times have changed and we have worked hard to modify our lifestyle, which was good in some ways and not so good in other ways", says Alfredo. Abel adds, "The elderly mostly stick to their animals but the younger people have turned to tourism".

A pesar de que a raíz de esta "inserción en el sistema" tuvieron que dejar de lado algunas de sus costumbres ancestrales, el balance que los mapuches hacen del manejo del parque de nieve es positivo.

Even though they had to give up some of their ancestral habits to "fit in the system", the Mapuche take a positive view of their handling of the snow park.

En la página anterior: Abel Barra y Alfredo Catalán, vocero y cacique de la comunidad mapuche Puel. En esta página, arriba: una rama de cohiue recortada sobre el lago Aluminé; abajo: un piñón de araucaria o pehuén, cuya harina continúa siendo usada por algunos lugareños.

Previous page: Abel Barra and Alfredo Catalán, spokesman and chieftain of the Puel Mapuche community. On this page, top: a branch of Coihue silhouetted against lake Aluminé. Bottom: a Pehuén, or araucaria pinecone; locals still gather them for flour.

Villa Pehuenia nació dos décadas atrás y está recostada sobre el lago Aluminé. Es el eje de un circuito que también incluye a los lagos Moquehue, Pulmarí y Ñorquinco, al río Aluminé (a la izquierda, arriba) y a las reservas provinciales Chañy y Batea Mahuida. Estas últimas fueron creadas en 1968, pero hasta hace pocos años sólo existían en los papeles; su guardaparque actual, Alejandro *Tero* Biondini (abajo), está confeccionando un plan de manejo para ambas.

Villa Pehuenia was founded twenty years ago and it lies on Lake Aluminé. It is the heart of a circuit that also features lakes Moquehue, Pulmarí and Ñorquinco, River Aluminé (top left) as well as Chañy and Batea Mahuida provincial reserves. These two were created in 1968 but did not actually exist, except on paper, till a few years ago. The current ranger, Alejandro Tero Biondini (below) is drawing a management plan for both.

Día 36 / Km. 12.093

El volcán de los sueños

El Lanín me subyuga. Me puede, me hace temblar. Ver su figura perfecta, blanca y cónica, me conmueve desde que lo vi por primera vez, cuando tenía cuatro años. Creo que desde entonces pensé en subirlo. Lo hice 19 años más tarde, y recuerdo ese día como uno de los más extáticos de mi vida. Por eso, volver a verlo siempre representa un momento de plenitud. Símbolo del parque nacional que lleva su nombre, el gran volcán domina toda la región desde sus solitarios 3776 msnm, casi 2000 más que los cerros de sus alrededores.

Disfrutamos de su cara Noreste desde el lago Quillén, probablemente uno de los espejos lacustres más lindos de la región, enmarcado por un denso y prácticamente intocado bosque de coihues, uno de los árboles que forman la familia que reina en los Andes patagónicos: los Nothofagus o hayas australes.

En la más absoluta soledad, armamos la carpa sobre una playita de arena gruesa y mateamos un rato, en silencio, mientras ambos rememorábamos nuestros respectivos ascensos a la cumbre del gigante austral.

Cuántos recuerdos reviven en estos lugares, historias de mochilas cargadas, campamentos, caminatas, guitarreadas, besos furtivos y amistades forjadas al calor de un fogón.

Day 36 / Km 12.093

The volcano of my dreams

The Lanín captures my heart. I cannot express what it means to me. It stuns me, it makes me shiver. Its perfect white profile moves me, and has done so since I first saw it, when I was four. I think that I have dreamed of climbing it since then. I did, nineteen years later, and it was ecstasy. That is why every time I see it again I get a feeling of completion. An icon of the national park of the same name, the great volcano, almost 2000m taller than the surrounding hills, hovers over the whole area.

We enjoyed its Northeast face from lake Quillén, probably one of the prettiest lakes in the area, framed by a dense, almost untouched Cohiue forest; Cohiue is one of the Nothofagus or Southern Beech species.

We put up our tent on a little thick-sanded beach. We were totally alone. We had some mates in silence, reminiscing about past climbs. The memories include backpacks, camping sites, treks, guitar sessions, first kisses and friendships born around a camp fire.

En la página anterior: el Quillén es un lago de aguas azules encerrado por cordones montañosos tapizados de bosques de cohiues, un árbol de hoja perenne; al fondo, el volcán Lanín. Arriba: un cauquén real en pleno vuelo; y piedritas volcánicas, testimonios de antiguas erupciones.

Previous page: the Quillén is a blue lake amid mountain gorges covered in coihues, a evergreen tree. In the background the Lanín volcano is spotted. Top: a Royal Cauquén caught in mid flight and volcanic stones, proof of ancient eruptions.

En Quillén hay trekkings interesantes para hacer, como uno accesible al lago Hui-Hui y uno más exigente al Rucachoroi. Los ascensos al Lanín se realizan desde el Tromen.

There are a couple of interesting treks to take in Quillén, accessible (to lake Hui-Hui) and demanding (to Rucachoroi). Climbers of the Lanín set out from Tromen.

La cabalgata fue por tierras de la comunidad mapuche Vera, debajo de las pistas del cerro Chapelco, que mostraba las últimas vetas de nieve de la temporada invernal.

Horse riding on Mapuche land. Vera below the Chapelco ski tracks, where the last traces of snow can be seen.

Aquí: el guía Augusto Gorchs, cerca de San Martín de los Andes. A la derecha: el propio Augusto parece querer robarles las tortas fritas al baqueano Víctor Vera y su esposa; abajo: el guía de kayak Thibaut Rogier.

Here: Augusto Gorchs, our guide, near of San Martín de los Andes. Right: Augusto looks like he is about to pinch tortas fritas from Víctor Vera and his wife. Below: our kayaking guide, Thibaut Rogier.

Día 37 / Km. 12.266

Puelche sobre el Lácar

San Martín de los Andes es el prototipo de la ciudad andino-patagónica. Prolija, florida y cuidada, está ubicada sobre la punta oriental del lago Lácar y, a pesar de que mantiene su aspecto de aldea de montaña, no detiene su crecimiento. Fue nuestra siguiente parada, y allí teníamos planificadas dos actividades: kayak por la mañana con Thibaut Rogier, y cabalgata por la tarde con Augusto Gorchs, ambos guías experimentados y conocedores.

La salida en kayak resultó ser una sorpresiva aventura. Corría viento Puelche (del Este) y desde el muelle de la ciudad, el Lácar lucía picado, pero no demasiado complicado. Remamos poco más de media hora, cerca de los paredones situados debajo del mirador Bandurrias, hasta que empezaron a soplar algunas ráfagas aún más fuertes... y el kayak de Guille se dio vuelta. El agua estaba muy fría y la corriente empujaba duro contra las piedras, pero nuestro amigo Tibo (tal como le dicen a este francés que está radicado en San Martín desde hace seis años) reaccionó muy bien para ayudar a Guille a llegar a la costa, donde pudo volver a subirse al kayak. La vuelta fue muy áspera, porque el viento en contra nos obligó a remar con todas nuestras fuerzas. Una hora más tarde regresamos al punto de partida, y Guille se encerró en el Jeep con la calefacción a tope. Es algo que puede pasar, por eso en estas excursiones siempre hay que llevar chaleco salvavidas y nunca se debe salir solo.

Day 37 / *Km 12.266*

Puelche on the Lácar

San Martín de los Andes is the typical Andean-Patagonic town: neat, well groomed, flower-strewn. On the Western tip of Lake Lácar, it has grown without losing its mountain village look. This was our next stop, and we had two plans there: in the morning kayak with Roger Thibaut, in the afternoon horse riding with Augusto Gorchs. Both of them are experienced guides and well acquainted with the area.

The kayak sail turned into something unexpected. There was a Puelche (East) wind and from the pier the lake looked choppy, no big deal. We rowed for little more than an hour, close to the walls under the Bandurrias watch tower, when some strong gusts blew up...and Guille's kayak capsized. The water was very cold and the stream drew to the stones, but Tibo (that is what they call Roger, who is a Frenchman and has been living here for six years) helped him out in style. The sail back was harsh, with head wind that made us row for dear life. One hour later we were back where we had set out; Guille locked himself up in the Jeep and turned the heating to the top.

These things can happen. That is why you should never go out alone and always wear a life jacket.

Día 38 / km 12.498

El camino De los Siete Lagos, recientemente incorporado a la traza de la RN 40, es un clásico de la Patagonia Norte. Va desde San Martín de los Andes hasta Villa la Angostura, 110 kilómetros que transitan por tres parques nacionales: Lanín, Nahuel Huapi y Los Arrayanes.

Day 38 / Km 12.498

The Camino De los Siete Lagos (Route of the Seven Lakes), that has been recently incorporated to the trace of RN40, is a classic of North Patagonia. It goes from San Martín de los Andes to Villa la Angostura, 110 kilometers along three National Parks: Lanín, Nahuel Huapi and Los Arrayanes.

Aquí: los alredededores de Bariloche están repletos de sendas y picadas, que transitan entre arroyos, bosques, cascadas y picos nevados. En la página siguiente: el inconfundible Centro Cívico de Bariloche; y Diego Efron, guía de Pura Vida Patagonia, nos llevó con su hijo Tomy a remar sobre el lago Gutiérrez.

Here: the surroundings of Bariloche are full of paths and trails, which run among streams, forests, waterfalls and snow-covered peaks. In the next page: the distinct Centro Cívico de Bariloche; and we went rowing in the Gutierrez lake with Diego Efron, Pura Vida Patagonia tour guide, and his son Tomy.

Día 39 / Km. 13.089

Caballitos criollos, caballos de vapor

John Daniel Evans tenía tres años de edad cuando en 1865 desembarcó en las ignotas costas chubutenses. Fue uno de los 153 galeses que dejaron su tierra natal para establecerse en la Patagonia, invitados por el gobierno argentino. Allí fundaron las aldeas de Rawson, Puerto Madryn y Trelew.

Dos décadas más tarde, el joven Evans y otros tres colonos decidieron seguir el consejo de sus amigos tehuelches y remontaron el curso del río Chubut. Pero el general Roca ya había llegado a la Patagonia con su Conquista del Desierto, y muchos indios desconfiaban de los blancos. Una partida de mapuches persiguió a los galeses durante cuatro días... Evans fue el único que se salvó, gracias a su caballo, un criollo petiso y aguantador llamado Malacara, que increíblemente saltó un zanjón de cuatro metros de altura. Consiguió volver a la costa, y cuatro años más tarde integró el grupo que creó la colonia 16 de Octubre, origen de Esquel y Trevelin. En este último pueblo, y en el mismo lote en el que está enterrado el Malacara, Clery Evans tiene un pequeño museo donde mantiene viva la memoria de su abuelo. Ella misma nos contó la historia.

Esa noche viajamos en La Trochita, símbolo de la cordillera chubutense. Sobre este antiguo trencito de locomotora a vapor y vagones de madera, que tiene 75 centímetros de trocha, hicimos el circuito turístico Esquel-Nahuel Pan-Esquel, de 38 kilómetros.

Day 39 / Km 13.089

Criollo horses, steam horses

John Daniel Evans was three years old when he landed on the coast of Chubut in 1865. He was one of the 153 Welsh who left their homeland for Patagonia, invited by the Argentine government. There they founded the villages of Rawson, Puerto Madryn and Trelew.
Twenty years later young Evans and other three settlers decided to follow the advice of their Tehuelche friends and sail upstream the Chubut River. But General Roca had already got to the Patagonia with his Conquest of the Desert campaign, and many aborigines already mistrusted the white man. A Mapuche crew chased the Welsh for four days...Evans was the only survivor, thanks to his horse, an enduring criollo named Malacara that leaped over a four meter ditch. He managed to get back to the coast and four years later was part of a team that founded 16 de Octubre Colony, the origin of Esquel and Trevelin. In the latter, in the same spot where Malacara is buried, Clery Evans runs a little museum to honor her grandfather. La Trochita is an icon in the Chubut Andes. This old steam train, barely 75cm in gauge, now covers a 38km tourist circuit, from Esquel to Nahuel Pan and back.

La Trochita nació para hacer el trayecto desde Jacobacci (en Río Negro) hasta Esquel, pero hoy solamente realiza circuitos turísticos en Esquel y El Maitén.

In the past, La Trochita used to go from Jacobacci (Río Negro) to Esquel, but nowadays it only performos touristic rides in Esquel and El Maitén.

En la página anterior: la locomotora de La Trochita es de la década del '20 y sigue funcionando a vapor, aunque para generarlo ya no quema leña, sino fuel oil. Arriba: Clery Evans nos recibió en su casa-museo, réplica del hogar de su abuelo, John Daniel Evans, uno de los pioneros galeses.

Previous page: La Trochita locomotive was made in the 20s and is still steam-driven, although generated by fuel oil instead of wood. On the right: Clery Evans welcomes us at his house-museum, replica of his grandfather's home, Daniel Evans, one of the Welsh settlers.

El parque nacional Los Alerces fue creado en 1937, mediante una ley que también dio origen a otros parques patagónicos. Abarca una bellísima red de lagos, que incluye al Rivadavia, el Verde, el Menéndez y el Futalaufquen, y desagua al Pacífico a través del río Futaleufú. Pero su valor único está en que protege bosques de alerces, uno de los seres vivos más longevos del planeta, tanto que algunos ejemplares superan los 3000 años de edad.

Los Alerces National Park was created in 1937, with an Act that also gave rise to other Patagonian parks. It covers a beautiful net of lakes, such as the Rivadavia, Verde, Menéndez and Futalaufquen, and flows into the Pacific Ocean through the Futaleufú River. But its mainly valuable because it protects larch forests, one of the longest-living organism in the planet, taking into account that some specimens are over 3000 years old.

Aquí: en la pasarela sobre el río Arrayanes se inica la senda que lleva del lago Verde al Menéndez, desde donde sale la excursión en barco hasta el alerzal.
A la derecha: el glaciar colgante del cerro Torrecillas; y un balcón sobre el río Arrayanes, que conecta los lagos Verde y Futalaufquen.

Here: the path that leads from Lago Verde to Lago Menendez starts on the footbridge over the Arrayanes River; there, you can take the boat excursion to the larch forest. On the right: the Cerro Torrecillas hanging glacier and a balcony over the Arrayanes River.

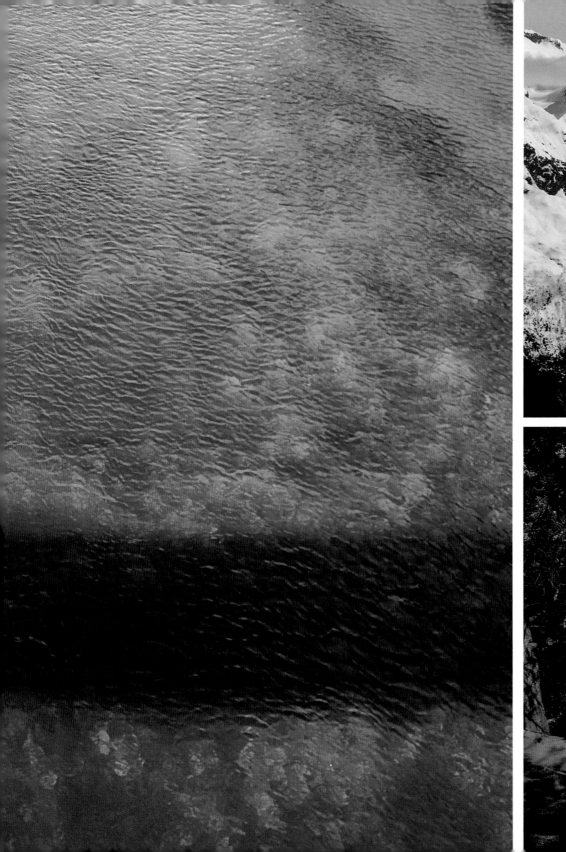

Esquel-El Calafate

Un mundo de hielo y roca
A world of ice and rock

Dos cóndores exhibieron la magnificencia de su vuelo por encima del lago y el glaciar Viedma, poco antes de la entrada al pueblo de El Chaltén.

Two condors showing their superb flight over the lake and the Viedma glacier just before the El Chaltén entrance.

intro

Capítulo 9

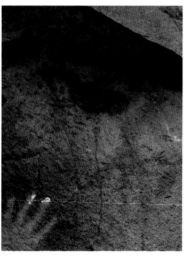

Arriba: la ruta que va desde El Chaltén hasta el lago del Desierto tiene varios puentes, algunos de los cuales fueron sacados de antiguas vías ferroviarias. Abajo: una escena de cacería de guanacos retratada en la Cueva de las Manos.

Above: there are many bridges on the road that goes from El Chaltén to lago del Desierto and some of them were taken off from some old railways. Below: a guanaco hunting scene at the Cueva de las Manos (Cave of the Hands).

El sur de Chubut y la larga provincia de Santa Cruz reservan el tramo más inhóspito de una ruta 40 que, a pesar del asfalto, continúa siendo el símbolo de la aventura. Una etapa esteparia y silenciosa, coronada por los ríos de hielo y los gigantes de roca del parque nacional Los Glaciares.

El progreso y el desarrollo siempre generan polémicas. Pasa en un barrio suburbano cuando se asfalta una calle: algunos lo aplauden, mientras otros aseguran que la supuesta evolución le quita identidad al lugar. Con la mítica ruta Nacional 40 está pasando exactamente eso. Históricamente, el bravo ripio de su sector más austral fue un desafío para los amantes de la adrenalina. Los más de 600 kilómetros que hay entre Río Mayo, en el sur de Chubut, y la punta oriental del lago Viedma, eran una invitación a la aventura... Hoy la 40 santacruceña se está terminando de asfaltar, ya que sólo resta finalizar un tramo de 170 kilómetros. ¿Sigue siendo un lugar para la aventura? A pesar de que indudablemente su aspecto ha cambiado, yo creo que la respuesta es sí. Porque la estepa es la misma, las distancias siguen siendo enormes y el asfalto no ha traído consigo nuevos pueblos ni servicios.

Además, los que quieran ripio lo pueden encontrar en cada uno de los desvíos, las rutas provinciales que conducen a los diferentes sitios que atraen a los viajeros, como la inigualable Cueva de las Manos y el parque nacional Perito Moreno, en el centro-oeste de la provincia, al que no pudimos entrar que por cuestiones climáticas. Fue una lástima, pero nos quedamos sin visitar el parque menos difundido de todos los que existen en el sur argentino. Igualmente, gracias a viajes anteriores les podemos dejar un consejo: si pasan por esta parte de Santa Cruz, no dejen de conocerlo. Es bien patagónico: inhóspito, hostilmente bello, refugio de cóndores, huemules, grandes manadas de guanacos y aves acuáticas como el esquivo macá tobiano.

Muchos confunden al parque que lleva el nombre del impulsor del sistema nacional de áreas protegidas, con el glaciar que también lo homenajea, pero lo cierto es que están separados por algunos cientos de kilómetros. La coincidencia es que Francisco Pascasio (tal el nombre completo del Perito), a pesar de que recorrió buena parte de la Patagonia en las últimas décadas del siglo XIX, no conoció ninguno de los dos lugares.

El famoso ventisquero es parte del Hielo Continental Patagónico, la mayor reserva de agua dulce del planeta fuera de los polos. Último vestigio de las glaciaciones que ocuparon casi toda la Patagonia hasta hace apenas 16.000 años, este gigantesco campo de hielo está situado a 1500 msnm y desprende 49 glaciares mayores hacia uno y otro lado de la cordillera; a tierra argentina llegan 13 de ellos: Upsala, Viedma, Moyano, Spegazzini, Mayo, Marconi, Agassiz, Bolado, Onelli, Peineta, Ameghino y Frías, además del Perito Moreno, el único que avanza y mantiene su superficie equilibrada.

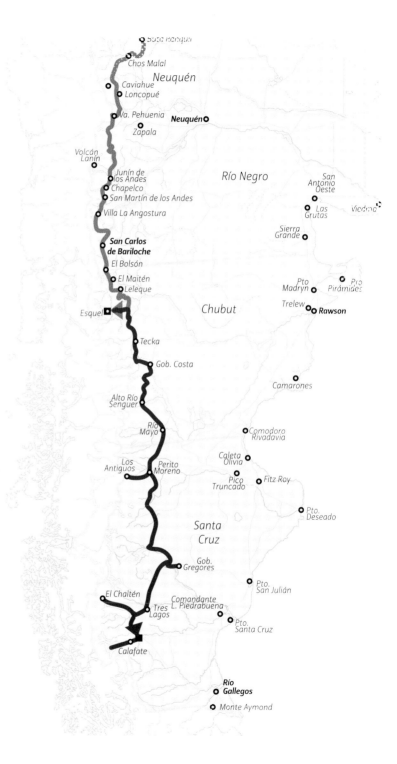

Southern Chubut and the whole length of Santa Cruz province reserve the most inhospitable section of a National Route 40 that, despite the pavement, is still a symbol of adventure. A silent steppe stage that is crowned by rivers of ice and giants of rock in Los Glaciares National Park.

Progress and development always raise controversy. It happens in a suburban neighborhood when a road is paved: some people applaud; others declare that this so-called evolution takes away the identity of the place. This is exactly happening with the mythical National Route 40. Historically, the dangerous gravel in its southernmost section was a challenge for adrenaline lovers. The 600-kilometer path between Río Mayo in the South of Chubut and the Eastern side of Viedma Lake was an invitation to adventure ... Nowadays, the Route 40 section in Santa Cruz province is being paved and there are only 170 kilometers unpaved yet, between Gobernador Gregores and Tres Lagos. Is this still a place for adventure? Although its aspect has undoubtedly changed, my answer is yes. Because the steppe remains the same and pavement itself has not brought new towns or services. Besides, those people looking for gravel can find it in every detour, the provincial roads that lead to the different attractions for travelers, such as the incomparable Cueva de las Manos (Cave of the Hands) and the Perito Moreno National Park, in the Central-West region of the province. Unfortunately, due to bad weather

conditions, we were not able to visit this place, the least known of all parks in the Argentine Southern region. However, thanks to previous trips made, we can give you some advice: if you go past this place in Santa Cruz, you must visit it. It is typically Patagonian: inhospitable, intensely beautiful, refuge of condors, deer, large herds of guanacos and aquatic birds such as the elusive Hooded Grebe. Many people mistake the park named after Mr. Moreno, the driving force of the national system of protected areas, for the glacier bearing the same name, but truth is that they are separated by hundreds of kilometers. The coincidence is that although Mr. Francisco Pascasio [the full name of the Expert Moreno], travelled all over the Patagonia during the last decades of the XIX Century, he did not visit either of these two places.

The famous Ice Field is part of the Patagonian Continental Ice, the largest fresh water reserve in the planet out of the poles. The last remains of the glaciations all over the Patagonia that took place only about 16,000 years ago, this huge ice field is located at 1,500 meters above sea level and gives off 49 large glaciers towards both sides of the range. 13 glaciers reach Argentine land: Mayo, Upsala, Viedma, Moyano, Marconi, Spegazzini, Agassiz, Bolado, Onelli, Peineta, Ameghino and Frías, besides the Perito Moreno, which is the only one that moves forward and keeps its surface balanced.

Pampas heladas

El Hielo Continental Patagónico se divide en dos grandes bloques, conocidos como campos de hielo Norte y Sur. El primero está completamente en territorio chileno, mientras que el segundo está atravesado por la frontera Argentina-Chile.

Freezing Pampas

The Patagonian Continental Ice is divided in two large blocks, known as North and South ice fields. The first one is completely located in chilean territory, and the second one is crossed by the Argentine-Chilean border.

Mates en un tramo de la RN40 Sur, entre Los Antiguos y Perito Moreno.

Mates (typical Argentine tea-like drink), during our drive through Route 40, from Los Antiguos to Perito Moreno.

En la inmensidad de la
estepa, las manadas de
guanacos son
probablemente la
presencia de vida salvaje
más evidente.

Day 40 / **Km 13.477**
*In the immense steppe,
guanaco herds are probably
the most significant
presence of wild life.*

La Cueva de las Manos fue declarada Patrimonio de la Humanidad en 1999. Los testimonios dejados por los aborígenes abarcan unos 8000 años, desde el 7300 a.C. hasta el 800 d.C.

The Cave of the Hands was listed as a World Heritage Site in 1999. Testimonies left by the aborigins cover a period of 8000 years, from 7,300 BC to year 800 of our age.

Las manos están pintadas en negativo, o sea, soplando la pintura sobre la mano apoyada en la roca. Además, hay representaciones de cacerías de guanacos, patas de choiques y pumas, figuras antropomorfas y dibujos geométricos. Pamela nos guió por el circuito.

The images of hands are painted in negative, i.e., spraying the paint over the hand placed on the rock. Besides, there are also depictions of guanaco huntings, puma and choique paws, anthropomorphic figures and geometric drawings. Pamela was our guide.

Día 41 / Km 13.854

El milenario enigma de las manos

No dejo de preguntármelo: ¿qué habrá querido decir esta gente?, ¿por qué a lo largo de tantos milenios utilizaron este mismo lugar para dejar un mensaje que, seguramente, ni se imaginaron que llegaría tan lejos? Las preguntas surgen y surgen, sin pausa, mientras mis ojos se asombran una vez más con este legado maravilloso, tanto como unos minutos antes, cuando el cañón del río Pinturas había aparecido ante nosotros.

Luego de dormir en Los Antiguos, llegamos a la Cueva de las Manos por la RN 40 y un desvío de 28 kilómetros hacia el Este. Recorrimos el lugar con Pamela, una joven del Gran Buenos Aires que se enamoró de la zona y en ese momento estaba completando su primer año como guía. *"El padre Alberto de Agostini, incansable explorador de la Patagonia, fue uno de los primeros que alertó sobre la importancia de este sitio, pero fue el investigador Carlos Gradín quien comenzó los estudios arqueológicos, en 1964"*, relató Pamela.

Centenares de manos, de los más diversos colores, ocupan unos 600 metros de aleros, paredones y la cueva propiamente dicha, situados sobre una suerte de pasillo que está, aproximadamente, a media altura entre el río y el tope del cañadón.

Cuando nos fuimos, las mismas preguntas seguían dando vueltas en mi cabeza. Como los grandes interrogantes filosóficos, son un misterio insondable.

Day 41 / Km 13.854

The millenary enigma of the hands

I cannot stop asking myself: what have these people meant?, why, over so many thousands of years, have they all used this same place to leave a message that they did not even imagine would go such a long way? Questions arise one after the other, while my eyes amaze once again at this wonderful legacy, like they did a few minutes ago when the Pinturas River canyon appeared before us.

After sleeping in Los Antiguos, we reached the Cueva de las Manos through the N R40 and a 28-kilometer detour to the East. We visited the place with Pamela, a young girl from Great Buenos Aires who fell in love with the place and was going through her first year as a tour guide. "Father Alberto de Agostini, indefatigable explorer of Patagonia, was one of the first travelers who alerted about the importance of this place, but it was researcher Carlos Gradín who started archaelogical studies in 1964", told us Pamela.

Hundreds of colorful hands cover about 600 meters of eaves, walls and the cave itself, over a hall situated about halfway between the river and the canyon upper limit.

When we left this place, I was still making the same questions. Like great philosophical questions, they represent an unfathomable mystery.

Día 42 / Km 14.229

El impredecible clima patagónico

En algún momento tenía que ser así. Y fue: el clima patagónico nos tenía reservadas algunas sorpresas... La primera de ellas fue que no pudimos entrar al parque nacional Perito Moreno, porque había llovido mucho en los días anteriores y los guardaparques no habían habilitado aún el ingreso tras el invierno.

Dormimos en Gobernador Gregores y a la mañana siguiente encaramos hacia El Chaltén. El tramo Gregores-Tres Lagos es el último que queda por terminar de asfaltar de la RN40 santacruceña, y mientras ese trabajo se realiza, se habilitó una ruta paralela provisoria... A raíz de la lluvia, aproximadamente 10 kilómetros eran como un gran piletón barroso, que pasamos con muchísimo esfuerzo. Luego, la ruta bajaba y hacía una curva, para enseguida volver a subir; en la parte más baja, una camioneta tipo furgón estaba completamente empantanada. Frenamos. "*Hace 16 horas que estamos acá, ¿podrán sacarnos?*", dijeron juntos dos jóvenes chilenos, que habían pasado la noche hambrientos y con un frío importante...

Guille colocó el Jeep sobre la parte más alta y firme de la pendiente, desenrolló el cable del malacate y enganchó la camioneta. Marcha atrás y en baja, con dos tirones el Wrangler la sacó de su encierro de lodo. Los chilenos, Juan y Juan, no paraban de festejar.

Day 42 / Km 14.229

The unpredictable Patagonian weather

It was supposed to happen ... and it happened: the Patagonian weather held some surprises for us. The first one was that we were not able to visit the Perito Moreno National Park because it had been raining a lot and the park rangers had not authorized entrance after the winter season.

We slept at Gobernador Gregores and the following morning headed towards El Chaltén. The "Gregores-Tres Lagos" path is the last section still unpaved of N R40 in Santa Cruz so there is a parallel temporary road to use until these tasks are finished. Due to heavy rain, about 10 kilometers of this road looked like a large muddy pool which we could pass through after making a big effort. Then, the road went downward and toward a bend and then went upward immediately again; in the lowest area, a van had got completely stuck. We stopped. "We have been here for 16 hours, can you please help us?" said two young Chileans who had spent the night feeling very cold and hungry...

Guille placed the Jeep on the highest and steadiest part of the slope, unwound the winch cable and hooked the van. Going backward and downward and with two jerks, the Wrangler released the van from its muddy lock. The Chilean boys, Juan and Juan, could not stop celebrating.

En la página anterior: un tramo inundado de la RN40 debido a las intensas lluvias de días anteriores. En esta página, una foto desde adentro de la cabina del Jeep en ese tramo barroso, y un grupo de estudiantes europeos que cruzamos antes de Tres Lagos.

Previous page: After the heavy rainfall of previous days, an unpaved section of Route 40 turned into a muddy quagmire. A picture taken from the inside of our Wrangler and a group of European students we passed by before arriving at Tres Lagos.

El Chaltén, ubicado dentro del parque nacional Los Glaciares, es la Capital Nacional del Trekking. Desde el pueblo parten diferentes sendas y picadas que recorren paisajes de granito y hielo, siempre bien señalizadas.

El Chaltén is considered the National capital of Trekking, an attraction site for climbers and trekkers from all over the world.

Día 43 / Km 14.456

Adiós a la polémica

Ni el Fitz Roy. Ni el Torre. Ni la Mermoz ni la Saint Exupery. Ni siquiera las Adelas. Ninguna de las agujas graníticas había querido aparecer. Ya por la noche, decepcionados, entramos a la pizzería Patagonicus. Las paredes estaban tapizadas de fotos históricas, en las que aparecían Césare Maestri y Cesarino Fava, dos próceres de la escalada. *"¿Cuál es cuál?"*, le preguntamos al muchacho que estaba atendiendo. *"Césare es el de barba, mi viejo es el otro"*, dijo al pasar. Fue una respuesta mágica.

Esa noche, César Fava tenía gente en su pizzería, pero nos invitó a pasar a la mañana siguiente. No tardamos en entrar en confianza con un tipo que tiene la simpatía de los italianos y la sencillez de los patagónicos. *"Mi viejo llegó acá en 1950, y al poco tiempo comenzó a escalar"*, relata. Pocos años más tarde conoció a Maestri, quien quería organizar una expedición al invencible cerro Torre. Tras un intento fallido en 1956, en 1959 volvieron, y allí se desencadenó la gran polémica: *"Césare hizo el ataque a la cumbre con Tony Egger, que era especialista en hielo. Tras seis días, mi viejo los fue a buscar y encontró a Maestri casi desfalleciente: le contó que habían llegado a la cumbre y que durante el descenso una avalancha había acabado con Tony. Muchos no le creyeron, pero mi viejo nunca dudó de su amigo."* Nosotros tampoco dudamos, y con una pizza que hizo César, mitad roquefort y nuez, mitad panceta, le pusimos fin a la polémica.

Day 43 / Km 14.456

No more controversy

Neither the Fitz Roy nor the Torre. Neither the Mermoz, nor the Saint Exupery. Not even the Adelas. None of the fantastic granite needles had appeared. When night came, we were a bit disappointed and decided to go to Patagonicus for some pizza. The walls were covered with historical pictures, most of them of Césare Maestri and Cesarino Fava, two great climbers. "Which one is each other?", we asked the waiter. "Césare is the one with the beard, my old man is the other one". It was a magical answer.

That night, there were people at César Fava's place, but he invited us to visit him the next morning. It didn't take long to break for the man had the friendliness of the Italians and the modesty of the Patagonian people. "My old man came here in 1950, and soon started climbing", he told us. A few years later, he met Maestri, who wanted to organize an expedition to the unbeatable Torre hill. After an unsuccessful attempt in 1956, they tried again in 1959: "Césare attacked the peak with the Austrian Tony Egger, ice specialist. Six days later, my father went for them and found Maestri almost fainting: he told him that they had reached the peak and on the way down an avalanche had killed Tony. Many people did not believe him, but my old man never doubted this friend". Neither did us, and with a large pizza made by César, half blue cheese and walnut and half bacon, we put and end to this controversy.

Arriba: César Fava posa sonriente con una de sus exquisitas creaciones; como su padre, escala y también es guía de montaña. Abajo: los famosos cerros Fitz Roy y Torre no quisieron ni asomarse entre las nubes durante nuestra estadía en El Chaltén. A la derecha: la pizzería Patagonicus tiene las paredes tapizadas de fotos de las primeras escaladas en la zona.

Above: César Fava poses smiling with one of his exquisite creations; like his father, he climbs and is a mountain guide. Below: the famous Cerro Fitz Roy and Cerro Torre did not even appear between the clouds during our stay in El Chaltén. On the right: Patagonicus pizza place, belonging to Cesarino Fava's sons, has the walls covered with pictures of the first climbings in the area.

Cesarino Fava fue uno de los escaladores pioneros en El Chaltén; participó en las grandes expediciones de la década del '50, escaló el Fitz Roy a los 59 años y murió en Italia en 2008.

Cesarino Fava was one of the pioneers in El Chaltén; he was part of the most important expeditions in the 50s. He climbed the Fitz Roy at the age of 59 and died in Italy in 2008.

Día 44 / km 14.854

El Hielo Patagónico Sur tiene una superficie de 12.550 km2, y en los últimos 65 años se redujo en 1.000 km2, a causa del retroceso general de los glaciares. Uno de los pocos que se mantiene en equilibrio es el de esta foto: el Perito Moreno.

Day 44 / Km 14.854
The Perito Moreno glacier is the main star of Los Glaciares National Park. Its front wall is up to 70 meters and periodically closes over the península Magallanes.

Aquí: una representación del perito Francisco Pascasio Moreno en Glaciarium, el museo del hielo de El Calafate.

Here: a representation of Francisco Pascasio Moreno in Glaciarium, the Museum of Ice recently opened in El Calafate outskirts.

El Calafate-Ushuaia-
Río Gallegos

El comienzo
del mundo
The beginning
of the world

El paso Garibaldi cruza los Andes fueguinos, a
450 metros sobre el nivel del mar. En primer
plano se ve el lago Escondido y, al fondo, el
Fagnano.

The paso Garibaldi crosses the Fueguian
Andes, at 450 meters above sea level. In the
foreground there is the lago Escondido and, in
the background, the lago Fagnano.

intro

Capítulo 10

Arriba: los islotes rocosos cercanos al faro Les Eclaireurs, en el canal de Beagle. Abajo: pedrero en la costa de una de las islas que forman el archipiélago Bridges.

Above: the rocky small island near the Les Eclaireurs, in the Beagle cannel. Below: stones at one of the islands that make up the Bridge Archipelago.

¿Por qué el fin, y no el comienzo? Si las cosas empiezan desde abajo. Hasta allá abajo, bien abajo, llegamos para terminar el viaje cordillerano y comenzar el costero. Porque Ushuaia tiene ese raro privilegio: se recuesta sobre las estribaciones andinas más australes, mientras las aguas marinas del estrecho de Magallanes besan sus pies.

Varias particularidades tiene Tierra del Fuego dentro del territorio argentino. Algunas son evidentes, como que es la única provincia del país que está completamente dentro de una isla. O de varias, porque su nombre completo es Tierra del Fuego, Antártida e Islas del Atlántico Sur. Sin embargo, cuando se habla de ella generalmente se hace alusión a la isla Grande, que está dividida al medio por una línea recta Sur-Norte, que marca la frontera con Chile. Otra de las singularidades de esta provincia es que cobija la única porción de territorio argentino situada del otro lado de los Andes, porque aquí la columna vertebral americana tuerce hacia el Este, para terminar hundida en el Atlántico austral. La tercera es que incluye la gran mayoría de los turbales que hay en el país, un ambiente natural que se da en pocos lugares del mundo, generalmente de climas fríos. Otra particularidad es que exige salir del país para ingresar a ella por medios terrestres, y la última es por demás triste: la acción del hombre blanco ha extinguido por completo a los pueblos originarios.

La historia y las costumbres de los onas

o selknams y de los yámanas se pueden repasar en el Museo del Fin del Mundo, tanto en su sede central como en su anexo, ambos edificios históricos de la ciudad. Los onas habitaban tierra adentro, vivían en toldos y se vestían con cueros de guanaco. Los yámanas, en tanto, fueron el único pueblo marinero de lo que hoy es la Argentina: construían canoas con pequeños troncos de lenga, atados con tendones de animales (principalmente lobos marinos) y revestidos con la corteza del mismo árbol; con ellas llegaron a la isla De los Estados y al Cabo de Hornos, que están rodeados por los mares más turbulentos de la Tierra. Además, andaban desnudos y se protegían del frío con una gruesa capa de grasa de lobo marino.

Unos y otros vivieron y convivieron sin problemas durante casi 10.000 años, hasta fines del siglo XIX y comienzos del XX, cuando el hombre blanco estableció primero puestos costeros y luego estancias gigantescas. La última ona, Angela Loij, murió en 1974; la última yámana (en realidad, mestiza) vive en la isla chilena Navarino, está muy viejita y no tuvo hijos. En menos de 100 años llegó el abrupto final de culturas milenarias. ¿Qué pasó? Es duro decirlo, pero el hombre blanco trajo balas y enfermedades que exterminaron a personas como los yámanas, que nunca en su historia habían fabricado un arma, ni siquiera como defensa. Esta tierra, generosa y extrema, está incompleta sin ellos.

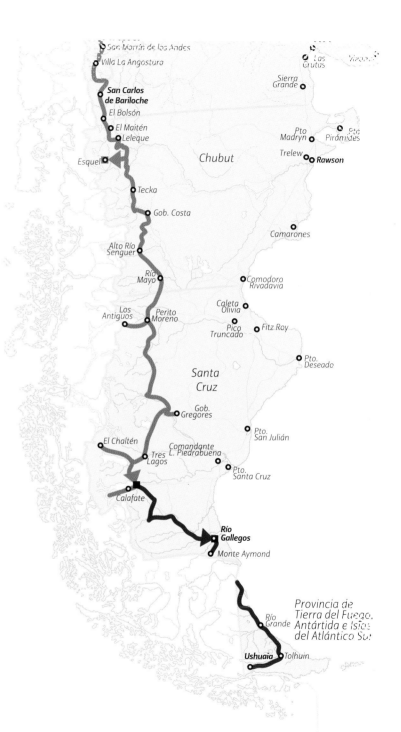

Why the end and not the beginning?, if things begin from below. We reached down, further down, to finish the mountain trip and start the coastal one. Because Ushuaia enjoys this strange privilege: it lies on the southernmost Andean foothills, while the sea waters of the Strait of Magellan kiss its feet.

Tierra del Fuego features some special characteristics within the Argentine territory. Some of them are evident, for example: it is the only province in the country that is completely inside an island. Or many, because its full name is Tierra del Fuego, Antártida e Islas del Atlántico Sur. However, when speaking about this province, people generally talk about the Isla Grande, divided in the middle by a south-north straight line that marks the boundary with Chile. Another special characteristic of this province is that it shelters the only area of Argentine territory located on the other side of the Andes, because in this place the spine bends towards the East, to end in the bottom of the austral Atlantic Ocean. The third feature is that it includes most of the peat bogs that exist in the country, a natural environment that occurs in very few places all over the world, generally with cold weather. Besides, you have to leave the country to enter this province by land, and the last feature is too sad: white men actions have completely destroyed the native populations.

The history and traditions of the onas or selknams and the yámanas (Yaghan people) can be reviewed at the Museo del Fin del Mundo, (End of the World Museum), both at its head office and its annex, two historical buildings in the city. The onas lived inland, in huts and clothed themselves with leather made from guanaco pelts. The Yaghan people, on the other side, were the only sailing population of the territory known today as Argentina: they built canoes with small lenga - Nothofagus pumilio - logs tied with animal tendons (mainly sea lions´) and coated with the bark of this tree; in these canoes they reached the Isla De los Estados and the Cabo de Hornos (Cape Horn), which are surrounded by the most turbulent oceans in the world. Besides, they were naked and protected themselves from the cold with a thick layer of sea lion fat.

Both onas and Yaghan people lived in harmony for almost 10,000 years until the end of the XIX century and the beginning of the XX century when the white men first established coastal posts and then huge estancias (ranchs). The last ona native, Angela Loij, died in 1974; the last Yaghan native (mestizo in fact) lives in Navarino, a Chilean island, she is very old and has no children. In less than 100 years millenary cultures came to an end. What happened? Although it is hard to say, the white men brought bullets and illnesses that exterminated people like the Yaghan people who had never made a weapon before, not even for self-defense. This land, generous and extreme, is now incomplete without them.

Una frontera artificial

En la isla Grande de Tierra del Fuego, el límite entre la Argentina y Chile no sigue la línea de la cordillera de los Andes, ya que en su sector más austral la cadena montañosa va de Oeste a Este. La frontera sigue aquí una línea recta en sentido Norte-Sur, fijada por ambos países a través de un tratado firmado en 1881.

An artificial border

In the Isla Grande de Tierra del Fuego, the border between Argentina and Chile does not follow the line of the Andes, as in its southernmost sector the mountain range goes from West to East. The border goes on here as a North-South straight line, determined by both countries by a treaty signed in 1881.

Unos kilómetros al sur de Río Gallegos, el viento llega a ser tan fuerte que hay carteles en la ruta para estar prevenido...

Some kilometers south from Rio Gallegos, the wind is so strong that there are signs on the road to take precautions ...

En Primera Angostura, el cruce del estrecho de Magallanes demanda 20 o 30 minutos de navegación, según los vientos y el estado del mar.

In Primera Angostura, going through the Strait of Magellan takes 20 o 30 minutes of navigation, depending on the winds and the condition of the sea.

Arriba: las grandes barcazas en las que se hace el cruce permiten llevar una gran cantidad de camiones y autos. Los pasajeros van en una larga y angosta cabina. A la derecha: luego del desembarco en tierras fueguinas chilenas, la barcaza parte nuevamente hacia el continente.

Above: the large barges used for the crossing allow the transport of a huge number of trucks and cars. Passengers go in a long and narrow cabin. On the right: after disembarking in Chilean Fueguian lands, the barges go back to the continent.

Día 45 / Km. 15.332

El cruce del estrecho

Ya no se ven los grandes fogones que los integrantes de la expedición de Magallanes divisaron desde la costa en octubre de 1520, responsables del nombre que le quedó a la isla que siglos más tarde coronaría el territorio argentino. Sin embargo, llegar a la capital de la provincia de Tierra del Fuego por tierra sigue siendo toda una aventura, que demanda unas ocho horas desde Río Gallegos, para recorrer 580 kilómetros.

Salimos del territorio argentino por el llano paso de Integración Austral e hicimos el cruce del estrecho de Magallanes en Primera Angostura, a bordo de una de las dos enormes barcazas que brindan el servicio. Fueron apenas 20 minutos, al cabo de los cuales desembarcamos y comenzamos a transitar por las rutas fueguinas chilenas, asfaltadas hasta el pueblito de Cerro Sombrero y de ripio más adelante, bastante angostas y con banquinas profundas, lo que nos obligó a estar muy atentos cada vez que venía un vehículo grande de frente.

Ingresamos nuevamente a la Argentina por el paso de San Sebastián, y desde allí mismo contemplamos por primera vez el bravo océano Atlántico austral, tumba de centenares de navíos de todo el mundo en los últimos cinco siglos. Tras dejar a un costado la ciudad de Río Grande, el progresivo ingreso al bosque de lengas fue el anuncio de la cercanía de los Andes fueguinos.

Day 45 / Km 15.332

Strait crossing

The campfires made out from the coast in October of 1520 by the crew of Magellan expedition are no longer seen and they were responsible for the name given to the island that many centuries after would crown the Argentine territory. However, reaching the capital of Tierra del Fuego province is still an adventure, which takes about eight hours from Rio Gallegos to travel over 580 kilometers.

We left the Argentine territory through the plain Paso de Integración Austral and crossed the Strait of Magellan in Primera Angostura, in one of the two huge barges that render this service. It was only a 20-minute trip, then we disembarked and started travelling by the Chilean Fueguian roads, paved until the little town of Cerro Sombrero and unpaved onwards, quite narrow and with deep ditches, which made us stay very alert every time there was a big vehicle coming from the front.

We came back to Argentina through the international Paso de San Sebastián, and there we could see for the first time the rough austral Atlantic Ocean, grave of hundreds of ships from all over the world in the last five centuries. After leaving behind Rio Grande city, the gradual entrance into the lenga forest was the announcement of the proximity of the Fueguian Andes.

Derecha, arriba: la ciudad de Ushuaia vista desde el canal de Beagle. Abajo: la antigua casa de gobierno de Tierra del Fuego, actual anexo del

Right, above: view of the city of Ushuaia from the Beagle Channel. Below: the former Tierra del Fuego Government House, at present the

Día 46 / Km. 15.865

Del otro lado de la cordillera

Tras casi 10.000 kilómetros, en la bahía Lapataia dejamos de viajar hacia el Sur. Esta bahía es el punto más sudoccidental al que llega la RN 3, dentro del parque nacional Tierra del Fuego, que abarca tanto un sector fronterizo con Chile como seis kilómetros de costa sobre el Beagle.

Llegamos a Lapataia y allí nos sorprendió un nutrido grupo de cauquenes comunes, siempre en parejas y con su marcado dimorfismo sexual: el macho es blanco, con las alas grisáceas, y la hembra marrón, con plumas negras y grises entremezcladas en el pecho. También fuimos testigos de los desastres ecológicos que causan los castores, introducidos con fines comerciales en 1946 y liberados poco tiempo después; estos grandes roedores cortan los árboles con sus dientes y construyen diques que forman embalses y modifican el ambiente. Se hacen esfuerzos para controlar su población, pero se calcula que en la isla hoy viven 120.000 castores.

El clima no nos acompañó demasiado, ya que lloviznaba y las nubes estaban bajas. Sin embargo, pudimos observar con detenimiento cómo está formado un turbal. Lo hicimos al caminar hasta la pequeña laguna Negra, que en realidad es, justamente, un turbal. Estos ambientes ocupan la parte más baja de los valles fueguinos y se forman por la lentísima descomposición de la materia orgánica, principalmente a causa del frío. Entonces, lo que en zonas más norteñas de la Patagonia es una laguna, en los alrededores de Ushuaia es una masa húmeda y esponjosa, sobre la que crecen musgos y pequeñas plantas.

Day 46 / Km 15.865

On the other side of the range

After almost 10,000 kilometers, at Lapataia bay, we stopped travelling southwards. This bay is the southwesternmost point of National Route 3, inside the Tierra del Fuego National Park, that covers both a bordering area with Chile and six km of seacoast on the Beagle Channel.

We reached Lapataia and were surprised by a large group of cauquenes (typical Patagonian birds), in pairs as usual and with their distinct sexual dimorphism: the male is white with grayish wings, and the female is brown with black and grey feathers intermingled on the chest. We were also witnesses of the ecological disasters caused by beavers, introduced with commercial purposes in 1946 and set free soon afterwards; these large rodents cut with their teeth the native trees and build dikes that form reservoirs and change the course of water streams. Lot of effort is made to control them, but it is estimated that there are about 120,000 living in the island.

We did not have very good weather, as it was drizzling and clouds were low. However, we could take a closer look at the composition of peats. We observed them while walking to the small Laguna Negra which is, actually, a peat. These environments are located in the lowers area of the Fueguian valleys and are formed by the extremely slow decomposition of organic matter, mainly due to cold weather. Therefore, what in northern areas of the Patagonia turns into a lake, in Ushuaia surroundings is a wet and spongy mass over which moss and small plants grow.

La centolla es el plato más tradicional de Ushuaia. Se la captura en las costas del Beagle y se la prepara de diferentes maneras. Oscar Sigel es el chef y propietario del clásico restaurante Tía Elvira.

The spider crab is the most traditional dish in Ushuaia. It is caught on the Beagle coasts and is cooked in different ways. Here you can see Oscar Sigel, chef and owner of the typical restaurant Tía Elvira.

Arriba: la superficie del turbal de la laguna Negra, dentro del parque nacional Tierra del Fuego; y una castorera, en la que se aprecia claramente el dique formado por troncos cortados por los roedores traídos desde Canadá en 1946.

Above: Laguna Negra peat surface, inside the Tierra del Fuego National Park: and a beaver house that clearly shows the dike made up of logs cut by the rodents brought from Canada in 1946.

Argentina
DE PUNTA A PUNTA →

Escenas de la recorrida por Ushuaia y sus alrededores. Arriba: el faro Les Eclaireurs; hele-
chos entre hojas secas en lentísima descomposición; y lobos marinos juveniles en un islote
sobre el Beagle. Abajo: una colonia de cormoranes imperiales; una pareja de cauquenes comunes y el trekking en el archipiélago Bridges.

Scenes of the trip through Ushuaia and its
surroundings. Above: Les Eclaireurs lighthouse; ferns among dead leaves in a very slow
decomposition; and young seals in a small island on the Beagle. Below: a colony of Emperor
Cormorants; a pair of cauquenes comunes and
trekking in the Bridge Archipelago.

Amanece sobre el gran canal fueguino y el sol pinta todo con el color del fuego. En lengua yámana, Ushuaia significa "bahía que penetra hacia el poniente".

Dawn over the great Fueguian cannel and the sun paints the whole landscape like fire. In Yaghan language, Ushuaia means "bay that penetrates towards the West".

Día 46 / Km. 15.917

Vida en el Beagle, muerte en el presidio

El parque nacional nos dio un panorama terrestre de la gran isla. Nos faltaba entonces vivir la experiencia del mar. Para hacerlo, descartamos los grandes catamaranes y nos subimos a la Tango, una lancha para diez pasajeros, sobre la que pudimos sentir la fuerza de las heladas aguas fueguinas, lo que es casi un oxímoron...

Salimos del puerto de Ushuaia y en pocos minutos los islotes rocosos comenzaron a aparecer ante nuestros ojos, muchos de ellos colonizados por cormoranes imperiales y roqueros, que estaban comenzando su temporada de apareamiento y andaban coqueteando en parejitas. Llegamos hasta el faro Les Eclaireurs y más tarde descendimos en una de las islas del archipiélago Bridges, donde pudimos apreciar cómo en este crudo ambiente crece la llareta, una mata leñosa que también vive en la puna, a 4000 msnm.

Terminamos el día con la visita al museo del viejo presidio. El impresionante edificio funcionó como cárcel entre 1902 y 1947, y llegó a alojar más de 500 condenados. Entre sus "huéspedes" hubo desde asesinos seriales (el más famoso de ellos fue el Petiso Orejudo) hasta presos políticos, como el anarquista Simón Radowitzky y el militar Guillermo Mc Hannaford, el único condenado por traición a la patria de la historia argentina, luego liberado por irregularidades en el juicio.

Day 46 / *Km 15.917*

Life in the Beagle, death in the prison

The National Park gave us a land overview of the large island. So, now we had to live the ocean experience. Therefore, we rejected the big catamarans and got on board of the Tango, a ten-passenger motorboat, where we could vividly feel the strength of the freezing Fueguin waters, which is almost an oxymoron.

We left the port of Ushuaia and a few minutes later some rocky small islands appeared before us, many of them conquered by imperial and rock cormorants in the beginning of their mating season and flirting in couples. We reached the Les Eclaireurs lighthouse and later on we went down to one of the islands of the Bridges archipelago, where we could observe the place where, in this harsh environment, the llareta (yareta) grows, a woody bush that also grows in the puna, at 4000 meters above sea level.

We ended the day visiting the museum of the former jail. This huge building was used as a prison between 1902 and 1947, and accommodated more than 500 prisoners. Among its "guests" we can mention serial killers (the most famous one was Santos Godino, known as the "Petiso Orejudo") and political prisoners, such as the anarchist Simón Radowitzky, many strikers and Guillermo Mc Hannaford, career soldier and the only convicted for treason in the Argentine history, and released afterwards due to irregularities during the trial.

Arriba: el viejo presidio de Ushuaia reemplazó al que funcionó en la isla de los Estados hasta 1902; tiene forma de panóptico y es museo desde 1994. Abajo: trekking en una de las sendas del parque nacional Tierra del Fuego.

Above: the former Ushuaia jail replaced the one in force in the Isla de los Estados until 1902; it is a panopticon and has been a museum since 1994. Below: trekking in one of the paths in Tierra del Fuego National Park.

Día 47 / km 16.003

Cuando dejamos Ushuaia y finalmente pusimos proa hacia el Norte, una nevada nos sorprendió en el largo valle de Carbajal y se mantuvo con nosotros hasta el paso Garibaldi. Algo más adelante, cuando la ruta comenzó a transitar junto al lago Fagnano, conocimos a Luz y Pedro Biott, una pareja deliciosa. Ella está por cumplir 80, él tiene 86. Después de múltiples trabajos en varios sitios de la Patagonia austral, hace 20 años se hicieron una cabaña en medio del bosque, a 40 kilómetros de Tolhuin, el pueblo más cercano. Un par de meses atrás habían tenido un metro y medio de nieve en la puerta de su casa, pero... "¿Irnos de acá? Nooo, ni locos", dijeron.

Day 47 / Km 16.003

When we left Ushuaia and finally set course northwards, it began to snow in the long Carbajal valley and went on snowing until we crossed the Paso Garibaldi. A bit further, when passing along the Fagnano lake, we met Luz and Pedro Biott, a delightful couple. She is about 80, he is 86. After doing different jobs in the southern Patagonia, 20 years ago they decided to build a cabin in the middle of the forest, 200 meters far from the coast and 40 kilometers far from Tolhuin, the nearest village. A few months ago there was one meter and a half of snow at the door of their house but, …. "Leaving this place? No …. no way", they said at the same time!

Río Gallegos- Buenos Aires

Rocas vivas
Live rocks

Restingas cerca de Puerto San Julián. Conforman un ecosistema único, que alberga a pulpos, anémonas, cangrejos y peces, entre otros organismos.

A restinga on San Julián coast. In the Patagonian coast, tide differences may be of about ten meters.

intro

Capítulo 11

Arriba: el museo que funciona en la antigua casa de Luis Piedra Buena. Fue un defensor de la soberanía argentina en las costas patagónicas. Abajo: en San Julián hay una réplica de la Nao Victoria, uno de los barcos de la expedición de Magallanes.

Above: the museum in the old house of Luis Piedra Buena. This navigator was a defender of the Argentine sovereignty on Patagonian coasts. Below: In San Julian there is a replica of the Nao Victoria, one of the ships in Fernando de Magellan expedition.

La costa austral puede parecer una suma de acantilados y roqueríos barridos por el viento. Sin embargo, está llena de vida: aves, lobos y elefantes marinos, ballenas, toninas, guanacos y choiques se reparten los diferentes ambientes. En nuestro capítulo final, la Patagonia atlántica nos dejó plenos de naturaleza.

Por momentos, la ruta Nacional 3 continental es tremendamente aburrida, con larguísimas rectas rodeadas sólo de estepa. Y cuando parece que eso será así siempre, de repente aparece una larga curva que te lleva hacia el Este y el azul e inmenso mar Argentino se abre ante los ojos. Desde Río Gallegos hasta la provincia de Buenos Aires, el viento es rey y señor de estas tierras, y puede soplar de forma constante y fuerte durante varios días seguidos. Para quienes no estamos acostumbrados a semejante fenómeno, puede resultar molesto, pero para sus habitantes, es parte de sus vidas.

Como ecosistema, la Patagonia atlántica es única. En ella se produce el encuentro de dos corrientes marinas: la de Brasil (cálida, pobre en plancton, que corre de Norte a Sur) y la de Malvinas (fría, fluye hacia el Norte bordeando la costa). Ambas se encuentran a la altura de Buenos Aires, pero la influencia de la de Brasil se siente hasta la zona Norte de la Patagonia. Además, los vientos predominantes del Oeste producen en esta zona costera un fenómeno llamado *surgencia*, que lleva los nutrientes desde el suelo a la superficie del mar. Una cantidad enorme de aves y mamíferos se alimentan de ellos. Cuando supimos esto, nos amigamos un poco con el constante viento…

En nuestro derrotero, atravesamos lugares como el parque nacional Monte León (el acceso está en el kilómetro 2.391 de la RN 3), donde pingüinos de Magallanes, guanacos, choiques, lobos marinos y diferentes especies de aves están al alcance de la vista. Desde Monte León hacia el Norte, se suceden sitios espectaculares para el avistaje de fauna. Puerto Deseado, Bahía Bustamante, Punta Tombo y Península Valdés (por mencionar algunos), son únicos para ver ballenas, toninas, cormoranes, petreles, distintos tipos de gaviotas y, con un poco de suerte, hasta orcas.

En un desvío hacia el Oeste, a la altura del kilómetro 2.074 de la ruta 3, otra alternativa para el viajero es el Monumento Natural Bosques Petrificados: allí se protegen restos fósiles de araucarias ancestrales (*Araucaria miriabilis*) que tienen hasta 30 metros de largo. Es importante prever el consumo de combustible y consultar previamente los horarios de visita. En el área protegida no hay servicios ni zona de acampe.

A lo largo de toda la costa, los diferentes pueblos y ciudades esconden historias y leyendas apasionantes: hundimientos de barcos, grandes exploradores, encuentros con tehuelches, inmigrantes, batallas… Nuestra recomendación: entrar en ellos y descubrirlas.

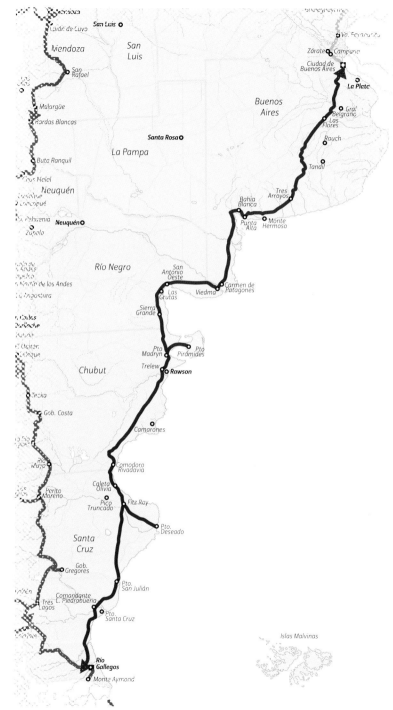

The southern coast may seem to be an aggregate of cliffs and rocky places swept by the wind. However, it is full of life: birds, sea lions and elephants, whales, dolphins, guanacos and choiques spread over the different environments. In our last chapter, the Atlantic Patagonia left us full of nature.

Sometimes, the continental National Route 3 is terribly boring, with very long straight lines only surrounded by steppe. And when it seems that this situation will last forever, suddenly it appears a long bend that takes you eastwards and the blue and immense Argentine sea opens before your eyes. From Río Gallegos to the province of Buenos Aires, the wind is the King and Lord of this land and can constantly and strongly blow for several days. For those people like us who are not used to such a phenomenon it may be unpleasant, but, for its inhabitants, is part of their lives.

If we talk about ecosystems, the Atlantic Patagonia is unique. Here, two ocean currents meet: the Brazil current (warm, poor in plankton, flowing from North to South) and the Malvinas current (cold, flowing to the North along the coast). Both currents converge at the level of Buenos Aires, but the influence of Brazil current is felt as far as the north Patagonia. Besides, the predominant winds from the West cause in this coastal area a phenomenon called upwelling, that takes nutrients from the soil to the ocean surface. A huge number of birds and mammals feed from them. When

we learned about this, we reconciled a little with the constant wind ...

During our course, we visited places such as the Monte León National Park (it can be accessed in the kilometer 2.391 of RN 3), where Magellan penguins, guanacos, choiques, sea elephants and several bird species are at plain sight. From Monte León to the North, there follow incredible fauna-watching places. Puerto Deseado, Bahía Bustamante, Punta Tombo and Península Valdés (to name just a few) are unique places to watch whales, dolphins, cormorants, petrels, different species of seagulls and, if lucky, even orcas.

In a detour towards the West, around the kilometer 2.074 of route 3, the travellers can visit the Monumento Natural Bosques Petrificados (Petrified Forests Natural Monument): here, fossil remains of ancestral araucarias (Araucaria miriabilis) up to 30-meter tall are protected. It is important to estimate the fuel consumption and to ask in advance about opening and closing times. In this protected area there are no services or camping sites. All along the coast, the different villages and towns hid passionate stories and legends, ship sinking, great explorers, meetings with tehuelches, immigrants, battles ... Our piece of advice: visit these places and discover all about them.

La costa patagónica

Se identifican cuatro áreas en la costa patagónica: playas y dunas (donde la vegetación juega un papel fundamental para la estabilización de las dunas), costa rocosa (cubierta por cangrejos, erizos, anémonas o estrellas de mar, entre otros), comunidades del infralitoral (zonas de algas, por ejemplo) y humedales.

The Patagonian coast

There are four identified areas in the Patagonian coast: beaches and dunes (where vegetation plays a main role for the stabilization of the dunes), rocky coast (covered by crabs, sea urchins and anemones or starfish, for example), subtidal communities (seaweeds areas, for example) and wetlands.

La ruta que va a Puerto Deseado. Esta ciudad, en el norte de Santa Cruz, está a más de 100 kilómetros de la ruta Nacional 3.

The road that goes to Puerto Deseado. This city, in the north of Santa Cruz, is more than 100 kilometers far from National Route 3.

Una pareja de cormoranes grises, que tienen en la ría Deseado su única colonia en suelo argentino. A la derecha: un cachiyuyo, un alga marina que puede llegar a medir 40 metros de longitud.

A couple of grey cormorants, whose only colony in Argentina is located in the Deseado ria. Right: a cachiyuyo, seaweed that can be 40 meters long.

Día 49 / Km. 17.269

Nunca había visto algo así: la ría Deseado nos hipnotizó

La ría Deseado es un espectáculo natural único en el mundo. Según nos explicaba Ricardo Pérez, guía local, hasta hace 10.000 años el río Deseado desembocaba en el mar, pero en aquella época las aguas saladas comenzaron a ocupar el estuario. *"Ahora, el mar entra 40 kilómetros por el antiguo cauce, formando esta ría. Cuando se producen las crecidas del mar, el agua entra a la ría con una gran cantidad de alimento. Por eso vemos grandes colonias de aves en la costa y en las islas"*, nos dijo Ricardo. Un dato interesante es que el cauce del río Deseado se pierde en la estepa y sólo entra en contacto con el agua salada de la ría en la época de deshielo.

Junto a Ricardo, que además de guía es el director de Darwin Expediciones (prestadora de servicios de ecoturismo), hicimos una navegación por la ría y vimos pingüinos de Magallanes (hay una colonia de 30.000 ejemplares), toninas overas, lobos marinos de un pelo, ostreros negros, cormoranes roqueros y los bellísimos cormoranes grises que, con sus patas rojas y sus párpados azules, cautivan a *birdwatchers* y fotógrafos. Nosotros no fuimos la excepción.

A la derecha: toninas overas en la ría; una pipa rescatada del naufragio de la corbeta inglesa Swift; y unas cuevas en el camino que corre paralelo a la ría.

Day 49 / Km 17.269

Hypnosis and Desire

Our eyes and fingers were not enough to see and take pictures of what we had in front of us: the Deseado ria is a unique natural spectacle in the world. Ricardo Pérez, a local tour guide, told us that 10,000 years ago the Deseado River used to flow into the sea, but at that moment salty waters started to flow into the estuary. "Now, the sea flows forty kilometers by the old bank, forming this ria. When the sea level rises, water flows into the ria full of food, that is why we see huge bird colonies in the coast and islands", told us Ricardo. Some interesting information is that the Deseado river bank (that has its source in the surroundings of Perito Moreno, in the northeast of Santa Cruz, where we had been ten days before), disappears in the steppe and only gets in contact with the ria salty water during thaw.

Together with Ricardo, who is not only a guide but the director of Darwin Expediciones (ecotourism service renderer) as well, we navigated along the ria and saw Magellan penguins (there is a colony of 30,000 specimens), Commerson´s dolphins, South-American sea lions, black oystercatchers, rock cormorants and the gorgeous grey cormorants that fascinate birdwatchers and photographers with their red legs and blue eyelids. We were not the exception to this rule.

Commerson´s dolphins in the ria; a pipe rescued from the shipwreck of the English corvette Swift; and some caves along the road parallel to the ria.

Marcos Oliva Day llegó a Deseado en 1977 y cinco años más tarde participó del grupo de buzos que descubrieron los restos de la corbeta Swift, que encayó en la ría en 1770.

Marcos Oliva Day arrived at Deseado in 1977 and five years later the was part of the divers group who found the rests of the Swift corvette that ran aground in the ria in 1770.

Arriba: la nueva sede de la fundación Conociendo Nuestra Casa. A la derecha: en una isla de la ría Deseado hay una colonia de pingüinos de Magallanes poblada por 20.000 parejas.

Above: the new site of the Conociendo Nuestra Casa foundation. Right: there is a colony of Magellan penguins of 20,000 pairs in an island of the Deseado ria.

Día 50 / Km 17.288

El Comandante Marcos

Cuando caía el sol en Puerto Deseado, nos encontramos con Marcos Oliva Day, un explorador contemporáneo y apasionado por la Patagonia. Fue tan interesante la charla con él que se hizo de madrugada y seguíamos escuchándolo. *"Puerto Deseado es un lugar maravilloso, que además de su riqueza natural, tiene una historia fascinante. Desde los tehuelches, que eran grandes navegantes, hasta los expedicionarios que pasaron por acá, como Magallanes, que para mí fue el mayor navegante de todos los tiempos. Pero también está la historia de los pioneros que, con mucho esfuerzo, vinieron acá en el invierno de 1884 con el capitán Antonio Oneto."* Esa noche entendimos que Marcos también es un apasionado de la historia de Puerto Deseado, donde reside junto a Malala, su mujer, y su hijo, Marquitos. Y tanta pasión la trasladó a Conociendo Nuestra Casa, una fundación que él mismo creó en 1983 y que busca formar en valores a los niños y jóvenes de la zona. Después de mucho esfuerzo (y de tener como sede oficial el garage de su propia casa), cuando nosotros estuvimos allí la Fundación estaba a punto de inaugurar su flamante edificio, justo en la costa de la ría Deseado. *"Conociendo Nuestra Casa apunta a que los chicos conozcan el lugar donde viven, en sus aspectos físicos y espirituales"*, resume Marcos. Si alguna vez estás por Deseado, un encuentro con él y su fundación te llenará el espíritu.

Day 50 / Km 17.288

Commander Marcos

It was dusk at Puerto Deseado when we met Marcos Oliva Day, a contemporary explorer, mad about the Patagonia. The conversation was so interesting that a new day broke and we were still listening to him. "Puerto Deseado is a wonderful place that, besides its natural wealth, it also has a fascinating history. Such as the tehuelches, who were great sailors, and the settlers who came to this land – like Magellan who was, in my opinion, the most important navigator in history. But we can also tell the story of the pioneers who, making a great effort came here in the winter of 1884 with Captain Antonio Oneto". That night we understood that Marcos is also passionate for the history of Puerto Deseado, the place where he lives with Malala, his wife and his son, Marquitos. And so much passion was transferred to Conociendo Nuestra Casa, a foundation created by him in 1983 and that has the purpose of instilling values to the children and young boys. With great effort (and having as main office its own house garage), when we visited them the foundation was about to open its new building, on the coast of the Deseado ria. "Conociendo Nuestra Casa aims at making the children know the place where they live, both in their physical and spiritual aspects", summarized Marcos. If you happen to be near Deseado, be sure that a meeting with him and his foundation will fill your espirit.

Día 51 / Km 18.138

Despedida en Península Valdés

Fue duro enfrentar la realidad de que el viaje estaba terminando. Nuestro último destino fue Península Valdés y, para ser sinceros, esperábamos que la naturaleza nos regalara algunos de esos espectáculos únicos, como un grupo de orcas cazando crías de elefantes marinos, o algún salto ornamental de una ballena... Nada de eso sucedió. Pero así es la naturaleza: te sorprende de todos modos. De hecho, cuando salimos a navegar el golfo Nuevo para avistar ballenas (vienen a la zona a reproducirse y tener a sus crías), ¡casi no se dejaban ver! Finalmente, cuando el barco de Peke Sosa flotaba con turistas casi desesperanzados, un ejemplar con su cría salieron desde la profundidad y aparecieron a escasos metros.

Una ballena franca austral adulta mide entre 13 y 16 metros de largo y pesa hasta 50 toneladas. Según explican en parques nacionales (la especie está protegida bajo la calificación de Monumento Natural Nacional desde 1984), en la parte superior y a los costados de la cabeza, posee callosidades formadas por engrosamientos endurecidos de la piel; sobre ellas se asientan pequeños crustáceos, generalmente de color blanco. Lo curioso es que esas callosidades son diferentes en cada individuo, como una huella digital; eso les permite a los científicos identificar a cada ejemplar.

Day 51 / Km 18.138

Goodbye at Península Valdés

It was hard to face the fact that the trip had come to its end. Our last destination was Península Valdés and, to be honest, we believed that nature would offer us some of those unique spectacles, such as a group of orcas hunting elephant seal babies or a whale ornamental jump ... Nothing of this actually happened. But nature is like this: it surprises you anyway. In fact, when we went sailing the Nuevo gulf to watch whales (they come to this area to breed), they almost did not let us see them! Finally, when Peke Sosa's boat was floating full of hopeless tourists, a specimen and her baby appeared from beneath a few meters far from us.

An adult ballena franca austral (Southern right whale) is between 13 and 16 meters long and weighs up to 50 tons. As we were told by people from National Parks (this specie has been protected under the qualification of National Natural Monument since 1984), on the upper area and sides of the head they have some callosities (raised patches of roughened skin); over these callosities there are small crustaceans, generally white. The curiosity is that these callosities are different in every specimen, as a fingerprint, so they allow scientist to identify every whale in particular.

Había viento y el mar estaba picado, por lo que las ballenas no quisieron saltar frente a nuestro barco. Sin embargo, varias asomaron sus cabezas para curiosear.

It was windy and the sea was rough, so the whales did not want to jump in front of our boat. However, some of them took off their heads to pry.

Arriba: los concesionarios de la hostería del ACA de Puerto Pirámides, Gerardo y Vicky, realizan cabalgatas por los alrededores del pueblo. Abajo: el barco de Peke Sosa en la bahía de Pirámides, muy cerca de una ballena franca austral.

Above: Gerardo and Vicky, the licensees of the ACA inn in Puerto Pirámides, organize horse-riding activities around the village Below: Peke Sosa's ship in the bay of Pirámides, very close to the southern right whale.

Argentina
DE PUNTA A PUNTA →

Día 51 / km 18.255

El pingüino de Magallanes es monogámico y anida toda su vida en el mismo lugar.

Day 51 / Km 18.255
The Magellan penguin is monogamic and nests in the same place all his life.

La colonia de pingüinos de Magallanes más grande de la costa argentina está en Punta Tombo, pero en la caleta Valdés hay una bien nutrida. A la izquierda: los turistas ávidos por ver a las ballenas sobre la lancha, y un elefante marino macho defiende a su harén de otro macho que se quiere entrometer en sus dominios.

The largest colony of Magellan penguins in the Argentine coast is located in Punta Tombo, but in caleta Valdés there is also an important one. Left: Tourists eager for watching the whales over the motorboat and a sea elephant defends his harem from another male who wants to interfere in his domain.

Día 52 / km 19.803

Llegamos a Buenos Aires tras transitar casi 1500 kilómetros por la RN 3.

We arrived in Buenos Aires after travelling for almost 1,500 kilometers along RN3.

Argentina
DE PUNTA A PUNTA

En la ruta

A lo largo de estos 20.000 kilómetros por Argentina, visitamos amigos y parientes, nos cruzamos con personas que nos dieron una mano (amigos de la ruta), dormimos en hoteles gracias a la generosidad de sus dueños y gerentes. y salimos a la naturaleza con diferentes guías locales. Estas páginas son un agradecimiento a todos ellos.

All over these 20,000 kilometers we visited friends and relatives, met people who helped us (friends of the road), slept in hotels thanks to the generosity of their owners and managers and went out to nature with different local guides. This page wants to show our gratitude to all of them.

La Aurora del Palmar.

Es un refugio de Vida Silvestre Argentina, ubicado sobre la RN12, frente al Parque Nacional El Palmar. Allí se desarrollan actividades productivas (ganadería, citricultura, forestación y ecoturismo).

www.auroradelpalmar.com.ar

La Aurora del Palmar is a World Wildlife Fund Argentina Lodge on N R12, across from El Palmar National Park. Activities there include livestock, citriculture, forestry and ecotourism. www.auroradelpalmar.com.ar

Aldea Yaboty, El Soberbio, Misiones.

Se encuentra a 35 kilómetros de los Saltos del Moconá, y está rodeado de selva misionera. Sigue el concepto de ecolodge, respetando el patrimonio cultural y natural. Nos atendió su dueño, Ricardo Vallarino (foto).

www.aldeayaboti.com

Aldea Yaboty, El Soberbio, Misiones. Located 35 km away from Moconá Falls, in the midst of Misiones jungle. Its ecolodge approach preserves both natural and cultural heritage. Ricardo Vallarino, Yaboty's owner himself took care of us. (photo) www.aldeayaboti.com

La Alondra, Casa de Huéspedes, Ciudad de Corrientes.

¡Qué hotel! Construido en una antigua casona correntina, tiene una decoración y un estilo muy agradables al huésped. El nivel de la gastronomía es excelente y todo el hotel es una delicia.

www.laalondra.com.ar

La Alondra Casa de Huéspedes, Corrientes City. Some hotel indeed! It was built in an old house and it features lovely décor and cozy style. This charming hotel offers excellent gastronomy options. www.laalondra.com.ar

Posada Aguapé, Esteros del Iberá.

Está sobre la laguna Iberá, y cuenta con un largo muelle. El alojamiento incluye las cuatro comidas y diferentes salidas guiadas: navegaciones, caminatas, canoas... La gastronomía es de lo mejor del lugar.

www.iberawetlands.com

Posada Aguapé, Iberá Wetlands. The lodge is located close to Iberá Lagoon and features a long dock. Accommodation includes full board. Guided outing options such as sailing, canoeing and trekking are available... Superb gastronomy as well! www.iberawetlands.com

Loi Suites Iguazú, Misiones.

Un lujo. El hotel está construido en medio de la selva, respetando gran parte de su flora, con lo cual, aquí se combina el super confort y la buena atención, con un entorno increíble. Está muy cerca de las Cataratas del Iguazú.

www.loisuites.com.ar

Loi Suites Iguazú, Misiones. A luxury place close to Iguazú Falls. The hotel has been built in the jungle, with the utmost care for the native flora. It boasts not only comfort and good service but also an amazing environment. www.loisuites.com.ar

El Duende de la Posta, Ciudad de Salta.

Nos hospedó una noche de fin de semana largo, con lo cual, reconocemos el esfuerzo. También debemos agradecer a la fotógrafa Griselda Moreno, que nos hizo el contacto con la posada.

www.duendedelaposta.com.ar

El Duende de la Posta, Salta City. We appreciate the effort they made for they provided accommodation for one night during a long weekend. We are also grateful for photographer Griselda Moreno's help in contacting the lodge. www.duendedelaposta.com.ar

Lucas Esteves, tío de Juan,

nos alojó en Virasoro, Corrientes. Marita, su mujer, nos esperó con unos ñoquis con tuco únicos, y su prima Dolores, a la noche nos cocinó pollo al horno. ¡Gracias!

Lucas Esteves and his family put us up in Virasoro, Corrientes. Lucas is Juan's uncle. Marita, his wife, made some delicious spaghetti-and-sauce for us. Juan's cousin Dolores prepared roast chicken that evening. Thank you!!

Víctor Cuezzo, guía de turismo

activo en Tilcara, Jujuy. Es un gran guía y un profundo conocedor del NOA. Nos aconsejó como nadie lo podría haber hecho en la Quebrada de Humahuaca. Para contactarlo, escribirle a **vcuezzo@hotmail.com**

Víctor Cuezzo, active Tilcara tourist guide, Jujuy. Not only is he a great guy but also a great guide who knows this part of the Argentine Norhwest in depth. He provided accurate advice around Humahuaca Gorge. For more information you can contact him at: vcuezzo@hotmail.com

Hotel Huacalera, Jujuy. Un viejo hotel de alto nivel y estilo colonial, recientemente reacondicionado, en el corazón de la Quebrada de Humahuaca. Está justo sobre la ruta y todas sus habitaciones tienen vista a la Quebrada.
www.hotelhuacalera.com

Hotel Huacalera, Jujuy. It is an old premium hotel in colonial style that has been recently refurbished. It stands in the heart of Humahuaca Gorge (right on the route) and all rooms offer a good view. www.hotelhuacalera.com

Hotel La Comarca, Purmamarca, Jujuy. Se levanta detrás del cerro de los Siete Colores, y tiene una arquitectura que se mezcla con el entorno de tonos tierra. Es un sitio ideal para moverse hacia la Quebrada o hacia el altiplano.
www.lacomarcahotel.com.ar.

Hotel La Comarca, Purmamarca, Jujuy. It stands just behind the Mountain of the Seven Colors. While its architecture and colors blend with the environment, it is an ideal place to visit the Gorge or the high plateau. www.lacomarcahotel.com.ar

Hotel de las Nubes, lo mejor que hay en San Antonio de los Cobres, Salta. Tiene ambientes cálidos (cuando nosotros nos alojamos, por la noche hacía mucho frío y pasamos varias horas al lado de su cálido hogar) y también cuenta con restorán.
www.hoteldelasnubes.com

Hotel de las Nubes is the best option in San Antonio de los Cobres, Salta. It boasts warm rooms (when we were there, it was really cold at night and so we spent many hours by the fireplace). There is also a restaurant on the premises. www.hoteldelasnubes.com

Hacienda de Molinos, Salta. Un señorial hospedaje en el pueblo de Molinos, en el corazón de los valles Calchaquíes. Es, probablemente, el edificio más antiguo del país, acondicionado como hotel: es de la primera mitad del siglo XVIII.
www.haciendademolinos.com.ar

Hacienda de Molinos, Salta. An elegant lodge in Molinos, in the Calchaquí Valleys. It is probably the country's oldest building and has been recycled into a hotel. It dates from the first half of the 18th century. www.haciendademolinos.com.ar

Muchos de nuestros amigos nos habían anticipado: *"Quiero ir en alguna parte del viaje"*. Finalmente, unos pocos pudieron sumarse. Ellos vivieron desde adentro este Argentina de Punta a Punta, saliendo a caminar, despertándose antes del alba para esperar las mejores luces, y hasta sosteniendo algún flash. A ellos, ¡gracias! Clarisa Galán, Mariana Kura, Daniela Maregatti, Willy Saudan, Marcelo Jantzon.

Many of our friends had told us: "I'd like to join you somewhere along your trip". A few of them managed to do so and were able to be part of this Argentina, from End to End. They went on walks, got up before dawn to make the most of the light and even helped by holding some flash. Thanks to them all!

Hostería Municipal de Hualfín, Catamarca. El edificio es nuevo, construido en piedra y madera. Celebramos que un municipio desarrolle este tipo de propuestas (de buena calidad) para el turista y que, por supuesto, también da trabajo a los locales. **www.turismocatamarca.gov.ar** (buscar en "hosterías")

Hualfín Municipal Hostel, Catamarca. It's a new wood-and-stone building. Such quality proposals developed by the local administration are worth mentioning. Not only do they benefit tourists but also offer job opportunities to the local people. www.turismocatamarca.gov.ar (under "hostels")

Hostería Municipal de Antofagasta de la Sierra, Catamarca. Después de manejar todo el día por el altiplano, llegar a esta hostería fue como encontrar un oasis en el desierto. Tiene wi-fi, buena comida y habitaciones cómodas.
www.turismocatamarca.gov.ar

Antofagasta de la Sierra Municipal Hostel, Catamarca. After a day-long drive through the high plateau, getting to this hostel was like coming across an oasis in the middle of the desert. Wi-fi access, good cooking and comfortable rooms. www.turismocatamarca.gov.ar

Ignacio Roldán, hermano de Juan, y su mujer (Roofy), nos recibieron dos veces en Río Gallegos (Belén, también hermana de Juan, se sumó al encuentro). Su hospitalidad nos hizo sentir como en casa. ¡Gracias por el asadazo, Inga!

Ignacio Roldán, Juan's brother and his wife (Roofy), welcomed us to their Río Gallegos home twice (Belén, one of Juan's sisters, also joined the party). Their warmth made us feel at home. Thanks for the ASADO Inga!

Juan Cruz Rabaglia, amigo de Guille y gran fotógrafo. Vive con Marcela y sus dos hijos en Bariloche y nos hospedó en su casa. ¡Gracias por los ravioles! Y por los consejos de viaje. Si quieren ver lo que hace, entren a **www.juancruzrabaglia.com**

Juan Cruz Rabaglia, Guille's friend and a great photographer who lives in Bariloche with his wife Marcela and their two kids. They kindly put us up. Thanks for the ravioli! And for the traveling tips...

La Casa de Pipa, en Mina Clavero (Córdoba), era una especie de casa-quinta que fue reacondicionada para recibir turistas. Por eso, uno no se siente en un hotel, sino en una casa. Es atendida personalmente por sus dueños y tiene vista a las sierras. **www.lacasadepipa.com**

La Casa de Pipa, in Mina Clavero (Córdoba); it used to be a country-house and has been recycled to take lodgers in. The atmosphere makes you feel at home. Personal service provided by its owners. Beautiful views of the hills can be appreciated. www.lacasadepipa.com

Hotel Valle Grande, Malargüe (Mendoza). Ubicado cerca del centro de la ciudad, ofrece habitaciones dobles y triples, desayuno y wi-fi. Está sobre la calle Saturnino Torres 151. **Tel.: (02627) 471360.**

Hotel Valle Hermoso, Malargüe (Mendoza). Located close to the downtown area. Double and triple rooms on offer. Breakfast and wi-fi access. Address: Saturnino Torres 151. Tel.: (02627) 471360.

Hostería La Casa de Eugenia, San Martín de los Andes. Es atendida por su dueño (Agustín Roca, siempre con una sonrisa). Era la antigua intendencia del Parque Nacional Lanín. También compite por servir el mejor desayuno (¡los alfajorcitos de maicena!). **www.lacasadeeugenia.com.ar**

Hostería La Casa de Eugenia, San Martín de los Andes. All needs are catered for by its owners (Agustín Roca has a permanent smile on his face). The building used to house Lanín National Park town hall and is part of the Historic Heritage. Also running for best breakfast award! (delicious alfajorcitos!) www.lacasadeeugenia.com.ar

Posada Los Álamos, El Calafate (Santa Cruz). Es un hotel histórico de esta ciudad. Tiene pileta climatizada, gimnasio, spa, un gran salón para desayunar y es muy bien atendido (nos trataron de diez). Dormir en un 5 estrellas fue único... **www.posadalosalamos.com**

Posada Los Álamos, El Calafate (Santa Cruz). It is a historic hotel. It offers heated pool, gym and spa facilities as well as a huge breakfast room. The service is great (we experienced it ourselves) Nothing can compare to having a good night's sleep in a 5-star hotel... www.posadalosalamos.com

Hotel Los Acantilados, Puerto Deseado (Santa Cruz). Está justo sobre la costa de la ría Deseado, sobre un acantilado. Tiene una vista increíble del puerto y la ría, con grandes ventanales en su salón comedor. **www.hotelosacantilados.com.ar**

Los Acantilados, Puerto Deseado (Santa Cruz). It is located right on the Deseado river-inlet banks, upon a cliff. The dining room offers awesome river and harbor views. www.hotelosacantilados.com.ar

Posada Borravino, Chacras de Coria (Mendoza). Compite por servir el mejor desayuno de nuestro viaje. Pero además, este hotel boutique tiene una arquitectura de casa rústica (¡muy linda!), con ambientes amplios y bien decorados, y está en una zona tranquila de Mendoza. **www.posadaborravino.com**

Posada Borravino, Chacras de Coria (Mendoza). Running for best breakfast award! Besides this boutique hotel boasts charming rustic architecture, spacious rooms and great decor. The area is very quiet indeed. www.posadaborravino.com

Posada La Escondida, Villa Pehuenia (Neuquén). Es la que mejor vista tiene del lago Aluminé. Construida en madera y piedra, con amplios ventanales, invita a quedarse en el living leyendo y contemplando el paisaje. Restorán con buena gastronomía. **www.posadalaescondida.com.ar**

Posada La Escondida, Villa Pehuenia (Neuquén). This stone-and-wood lodge offers the best lake Aluminé views. Its large windows invite visitors to settle in the living room while they indulge in the superb landscape. Good cooking is also available. www.posadalaescondida.com.ar

Hotel Tehuelches, Esquel (Chubut). Es uno de los hoteles históricos de esta ciudad (ubicado en el centro). Ofrece un generoso desayuno americano, cocheras y wi-fi. Además, su confitería-bar está abierta las 24 horas. **www.cadenarayentray.com.ar**

Hotel Tehuelches, Esquel (Chubut). This is one of the city's historic hotels and is located right in the downtown area. American-type breakfast, parking facilities and Wi-fi access. The coffee-shop/bar opens 24/7 www.cadenarayentray.com.ar

Hotel Albatros, Ushuaia (Tierra del Fuego). Ubicado estratégicamente frente al Canal de Beagle (las habitaciones tienen una vista privilegiada), es un hotel tradicional de Ushuaia. Cuenta spa, health club, bar y restorán. **www.albatroshotel.com.ar**

Hotel Albatros, Ushuaia (Tierra del Fuego). Strategically located facing the Beagle Channel (bedrooms offer the best of views). It is a traditional hotel. Amenities include spa, health-club, bar and restaurant. www.albatroshotel.com.ar

Hotel del ACA, Puerto Pirámides (Chubut). Fue reacondicionado a nuevo, y ahora cuenta con habitaciones remodeladas y un agradable salón para desayunar. Es un hotel tradicional de Puerto Pirámide, y está justo a la entrada del pueblo. **www.motelacapiramides.com**

ACA Hotel, Puerto Pirámides (Chubut). Recently refurbished, it now boasts recycled bedrooms and a cozy breakfast room. It is a traditional Puerto Pirámides hotel located next to the town entrance. www.motelacapiramides.com

Encuentros I. Los

alumnos de la escuela de Fortín Mbororé, comunidad guaraní de Iguazú, nos recibieron con sonrisas y abrazos. Allí hubo intercambios:

Trini, la hija mayor de Juan, había hecho algunas pulseras para que su padre se las entregara a estos chicos, y ellos, a cambio, le enviaron artesanías hechas por ellos.

Fortín Mbororé is a Guaraní community from Iguazú. The school students from this place gave us a warm welcome. Trini, Juan's eldest daughter, had made some bracelets for him to give the children, while they sent her some handcrafts in return.

Encuentros II. Azucena

Mamanis es la comadre de Los Nacimientos de Antofagasta (Catamarca), una de las zonas más despobladas e inhóspitas del país.

Guille había ido en años anteriores y en este viaje fuimos hasta allí para visitar a los chicos y llevar algunas donaciones a la escuela. Fue un encuentro muy emotivo.

Azucena Mamanis is Los Nacimientos de Antofagasta's midwife; this place in Catamarca is one of the most inhospitable and least populated in the country. Guille had been there some years before and this time we wanted to see the children and leave some donations at the school. It was a really moving meeting!

Encuentros III

Escuchamos con admiración el trabajo que realiza Marcos Oliva Day con su Fundación, Conociendo Nuestra Casa, que busca formar en valores a niños y jóvenes de Puerto

Deseado y de otros lugares. El objetivo es que conozcan el lugar donde viven (desde lo natural, lo histórico y lo cultural) y, de esa forma, aprendan a valorarlo. Allí también dejamos ropa y libros.

We listened in admiration to Marcos Oliva Day's account of his foundation. Conociendo Nuestra Casa aims at teaching values to children and youngsters from Puerto Deseado. We also left toys and clothes there.

Ayudas

Gracias a los amigos que nos acercaron ropa, juguetes y útiles (Librería Minissale). Todos le pusieron mucha onda a estas "juntadas". Tanto en Fortín Mbororé (Iguazú), como en Los Nacimientos de Antofagasta (Catamarca) y en la fundación Conociendo Nuestra Casa (Puerto Deseado), nos agradecieron de corazón por las donaciones.

Help

We want to thank our friends who helped us collect clothes, toys and school staples (Librería Minissale). They all worked enthusiastically. Everyone at Fortín Mbororé (Iguazú), Los Nacimientos de Antofagasta (Catamarca) and Fundación Conociendo Nuestra Casa (Puerto Deseado) was really grateful for the donations.

Jeep Argentina. Cada kilómetro

lo hicimos a bordo de un Jeep Wrangler último modelo, todo un símbolo de la aventura. Por eso, aquí va el agradecimiento especial a Chrysler Argentina y a las personas de la compañía que estuvieron siempre atentas a nuestro viaje, brindándonos un apoyo tanto técnico como emocional. www.jeep.com.ar

Jeep Argentina: Every kilometer was travelled aboard a latest model Wrangler jeep, a symbol of adventure. Therefore, here my most special thanks to Jeep Argentina and those people who were always paying attention to our journey, giving us both emotional and technical support. www.jeep.com.ar

Nuestro viaje también está en www.enjeepxargentina.com.ar